Cyhoeddwyd gan Cyhoeddiad
Rhaglen Datblygu Und

GOFALA DI

LLAWLYFR BUGEILIO CRISTNOGOL

GAN
DEWI M. HUGHES

Cyflwynedig i

Ebeneser Tylorstown a Saron Ynyshir

Capel Cwmllynfell

Gellimanwydd Rhydaman

Capel y Nant Clydach

Testun gwreiddiol: Dewi Myrddin Hughes
Golygydd: Bethan Mair
Golygydd Cyffredinol: Aled Davies
Clawr: Aled Rhys Hughes

ISBN 978 1 85994 75602
Argraffwyd ym Mhrydain.

Cydnabyddir haelioni Rhaglen Datblygu yr Annibynwyr yn noddi'r llyfr hwn.

Cyhoeddwyd gan
Cyhoeddiadau'r Gair, Cyngor Ysgolion Sul Cymru,
Ael y Bryn, Chwilog, Pwllheli, Gwynedd LL53 6SH.
www.ysgolsul.com

CYNNWYS

RHAGAIR

Gallai pob gweinidog a phawb sydd â phrofiad o fugeilio ysgrifennu llyfr ar y pwnc a drafodir yn y gyfrol hon. Byddai pob un yn wahanol, o reidrwydd, a rhai yn wahanol iawn i'w gilydd. Un dehongliad o'r dasg fugeiliol Gristnogol sydd yn y llawlyfr bach hwn, ac ni honnir am eiliad mai dyma'r gair terfynol ar y pwnc mewn unrhyw ffordd. Mae'r sylwadau hyn yn codi o'r llyfrau a ddarllenais, y sgyrsiau ffurfiol ac anffurfiol y bûm ynddyn nhw, fy mhrofiad fy hun, wrth drïo bugeilio pobl eraill ac, yn fwy fyth, wrth gael fy mugeilio fy hun.

Mae safbwyntiau diwinyddol yn gwahaniaethu; mae amgylchiadau a sefyllfaoedd hefyd yn gwahaniaethu. Cyflwynir y llyfryn yn faes trafodaeth, felly, gan obeithio y bydd rhyw flewyn glas ynddo ar gyfer pawb, ond gan gofio'r wireb na ellir bodloni'r holl bobl bob amser.

Fy ngobaith yw y bydd y gyfrol yn ddefnyddiol, yn hybu dealltwriaeth lawnach o'r maes ac yn dyfnhau gwaith yr eglwysi o blaid teyrnas Dduw. Fe'm calonogid yn fawr pe bai eglwysi unigol neu gylch o eglwysi yn gallu'i defnyddio i feithrin trafodaeth.

Cyhoeddwyd toreth o erthyglau yn Gymraeg ar wahanol agweddau o'r gwaith, ond prin yw'r llyfrau. Gobeithio y bydd yr ymgais hon yn agor y drws i eraill rannu'u safbwynt a'u profiad.

Mae'r amserau yn rhai anodd, a chyflwr yr eglwysi yn aml yn ofid i'w haelodau. Gall argyfwng droi'r naill ffordd neu'r llall. A yw Duw wedi anobeithio amdanom tybed, ynteu a yw'n dyheu am ein gweld yn edifarhau ac yn troi rownd?

Y Parchg Aled Davies a sbardunodd y syniad a'm hannog i fwrw iddi. Bu'n rhyfedd o amyneddgar yn disgwyl y gwaith i law; diolch am ei fawr amynedd.

Cyn cydio yn y dasg derbyniais anogaeth barod gan y Parchg Ddr Geraint Tudur. Diolchaf iddo, ac i Undeb yr Annibynwyr, am nawdd y Rhaglen Datblygu. Mae'r gefnogaeth a'r haelioni yn golygu llawer.

Mae arnaf ddyled fawr i Annette, fy ngwraig, nid yn unig am fy helpu gyda'r ochr dechnegol i baratoi'r sgript, ond hefyd am ansawdd ei ffydd a'i bugeilio di-baid. Chawn i neb gwell na Bethan Mair, fy merch yng nghyfraith, yn olygydd; mae llawer mwy o raen ar y gwaith ar ôl iddi hi ddod â'i gweld craff a chrib fân i gymoni. Mae arna'i ddyled i'm meibion: i Aled am lun y clawr, 'dwylo Taid a Nain', ac i Ifan am gael ychydig ddyddiau yn ei gartref i fwrw ymlaen â'r gwaith. Bu sawl seiat gyda ffrindiau, a minnau ar fy mantais yn ei sgîl. Bûm yn eithriadol o freintiedig yn fy nheulu a'm ffrindiau ar hyd y blynyddoedd, ac er mai cam gwag yn aml yw dechrau enwi, rhaid crybwyll dau yn benodol – cefais drafodaethau buddiol iawn gyda fy nghyfaill Elwyn Jones ar hyd y blynyddoedd ac mae ef yn fugail dihafal; a braint yw cael cyfri Dr Rosina Davies ymhlith fy nghyfeillion: bu ei chefnogaeth mor werthfawr i mi ar adegau tywyll a golau. Mae dyled fawr arnaf hefyd i eglwysi fy ngofal am roi cyfle ac anogaeth, ac am fy mugeilio i a'm teulu.

Cyflwynaf y llawlyfr felly, gyda diolch, i
Ebeneser Tylorstown a Saron Ynyshir
Capel Cwmllynfell
Gellimanwydd Rhydaman
Capel y Nant Clydach

Dewi M. Hughes
Pasg 2013

GYDA'N GILYDD

'Mae pobl yn chwilio am le ble gallant berthyn a chael eu gwerthfawrogi.' *John Drane*

Mae bugeilio yn llawer mwy nag ymweld ag unigolion. Yng nghwmni pobl eraill y cawn ein bugeilio gan amlaf. Felly y bu o'r dechrau. Roedd y Cristnogion cyntaf yn ofalus o'i gilydd bob yn un ac un. Yr hyn oedd yn hynod ynddyn nhw yng ngolwg y cyhoedd oedd eu gofal o'i gilydd: "Edrychwch fel mae'r Cristnogion yma'n caru ei gilydd!" Yn ogystal â bugeilio'i gilydd bob yn un roedden nhw hefyd yn meithrin lles pawb gyda'i gilydd. Mae Llyfr yr Actau yn dangos mor awyddus oedden nhw i dreulio amser yng nghwmni ei gilydd yn addoli ac yn dysgu. Aethant mor bell yn y dyddiau cynnar â "dal pob peth yn gyffredin."

Yr Eglwys yn Darparu

Yn ei ystyr lawn mae bugeilio yn golygu pob gofalu am les a ffyniant pobl. Anodd meddwl am weithgarwch pwysicach na meithrin ysbrydoledd. Profiad Cristnogion y canrifoedd ydy bod Awstin Sant yn llygad ei le pan ddywed yn ei weddi:

> Oblegid ti a'n creaist i ti dy hun,
> A diorffwys yw ein calon hyd oni
> Orffwyso yno ti
> (Edwin C. Lewis: *Mil a Mwy o Weddiau*)

Ni all eglwys alw'i hun yn eglwys os nad yw'n darparu cyfleoedd i'w haelodau ac eraill ddod ynghyd i addoli.

Gyda'r addoli y daw dysgu am natur Duw, a'i hawliau arnom. Fydd moeseg Gristnogol byth ymhell oddi wrth addoli

Cristnogol. Mae'r gwahoddiad i fod yn ddisgybl yn wahoddiad i fyw'r efengyl.

Gelwir rhai o lythyrau'r Testament Newydd yn Epistolau Bugeiliol (1 a 2 Timotheus a Titus) ond gellir yn deg ddadlau fod pob un o'r llythyrau wedi'u hysgrifennu i fugeilio'r eglwysi. Maent yn cynnwys gwybodaeth am gymeriad a natur Duw a chyfarwyddyd ynghylch cenhadaeth yr eglwysi. Maent wedi'u cyfeirio at eglwysi yn eu sefyllfaoedd penodol eu hunain ac yn cynnwys trafodaeth ar y materion sy'n codi yn eu plith: sut i ddelio â sefyllfa arbennig.

Mae rhai ohonom yn dal i gofio mynd i'r capel dair neu bedair gwaith y Sul, a rhyw gwrdd yn digwydd yn y festri bron bob nos o'r wythnos. Roedd hynny ar ei anterth dros ganrif yn ôl, pan mai diwylliant ymneilltuol oedd yn llywio bywyd cymunedau cyfan drwy Gymru, a holl fywyd pobl yn troi o gylch cartre, gwaith a chapel. Ar ei orau roedd yn fyrlymus a heintus. Yn ogystal â'r wedd ysbrydol, roedd yn gymdeithasol werthfawr hefyd. Gwnaeth lawer i hybu cerddoriaeth a diwylliant a'r iaith Gymraeg. Ni ellir ei gyhuddo o fod yn fewnblyg chwaith gan fod dysgu am y meysydd cenhadol tramor a chodi arian i gynnal y cymdeithasau cenhadol hynny yn cael cryn sylw. Roedd yn bennod loyw yn ein hanes.

Doedd y cyfnod ddim heb ei feiau wrth gwrs, ddim mwy nag unrhyw gyfnod arall, ond dechreuodd y chwalfa pan aeth yr holl strwythur yn faich yn lle bod yn llawenydd. Yn raddol trodd y gwin yn ddŵr. Doedd dim yr un blas ar bethau â chynt ond daliwyd i'w gwneud, am y byddai peidio yn frad. Dim ond y taeraf a'r mwyaf styfnig oedd yn dal i ddilyn yr hen arferion, ac fe'u gadawyd yn gynyddol brin, ynysig ac amherthnasol.

Y gamp yw dod o hyd i ffyrdd sy'n cydio mewn oes newydd. Mae eglwysi bywiog ar hyd a lled y byd yn canfod ffyrdd i gymdeithasu, pe na bai'n ddim mwy nag ambell sgwrs a phaned ar ôl yr oedfa. Gwell fyth ydy trefnu adloniant a hwyl a chyfle i chwerthin. Mae trefnu pryd o fwyd yn achlysurol yn arfer da hefyd ac efallai wahodd rhai o'r tu fas – ceiswyr lloches, neu'r gangen leol o Glwb Alzheimers. Mae'n drawiadol gweld cynifer o gyfeiriadau sydd yn yr efengylau at Iesu wrth bryd bwyd gyda'i ddisgyblion, ac eraill hefyd yn y cwmni yn amlach na pheidio.

Mae'n braf gweld pawb gyda'i gilydd, o wahanol oed a gwahanol ddiddordeb. Peth cynhesol iawn ydy hynny. Mae lle hefyd i gyfarfodydd ar gyfer grwpiau arbennig: chwiorydd, dynion, pobl ifanc, plant, rhieni. Efallai y byddan nhw am gyfarfod yn rheolaidd, yn fisol neu'n wythnosol; yn y capel, yn y festri, mewn cartrefi, ble bynnag. Buddiol weithiau fydd trefnu cyfarfod gyda chriw arbennig i drafod pwnc arbennig, fel 'Magu plant,' 'Helpu'r oedrannus,' a chael arbenigwyr i arwain y drafodaeth. Gwerthfawr hefyd ydy cael arweiniad rhywun fydd yn lledu gorwelion, drwy sôn am brofiad neu fudiad neu weithgaredd. Gorau oll fod cyfarfodydd felly'n cael eu trefnu ar gyfer eglwysi'r ardal gyda'i gilydd.

Does dim ateb hawdd i ddarparu ar gyfer plant a phobl ifanc. Fydd dim yn debycach o'u suro tuag at grefydd na'u gorfodi i fynd i'r Ysgol Sul pan fyddai'n well ganddyn nhw fod yn chwarae rygbi neu'n merlota. Profais eu bod yn barod iawn i gynorthwyo mewn oedfa pan ofynnir iddyn nhw, ac arfer dda yw gwneud hynny pan fydd oedolion hefyd yn arwain, rhag iddyn nhw gael yr argraff eu bod yn ein plith i'n diddanu ac i berfformio. Gwelais hefyd eu bod yn falch o gael cymysgu chwaraeon â rhywbeth difrifol yn eu cyfarfodydd, trafod pwnc llosg neu ysgrifennu llythyrau Amnest, er enghraifft. Mae'r ddau beth yn ddeniadol iddyn nhw: cael bod ynglŷn â gwaith ymarferol, a hwnnw ar fater cyfiawnder. Cam gwag ydy meddwl am blant yn nhermau 'nhw yw dyfodol yr eglwys'. Dydy hynny ddim yn deg â nhw. Maent yn rhan o'r gymdeithas heddiw; gwnawn ein gorau i'w helpu a byddwn yn mwynhau eu cwmni ac yn derbyn ganddyn nhw.

Er bod yr Ysgol Gân draddodiadol fel pe bai'n machlud, caiff eglwysi fudd, lle nad oes modd ei chynnal yn llawn, o drefnu cyfarfod i gantorion lle bo hynny'n bosib, er mwyn dysgu emynau newydd neu ymarfer cân ar gyfer oedfa.

Buddiol iawn ydy trefnu i unigolion neu griwiau i fynd i wyliau Cristnogol – Diwrnod i'r Brenin, Souled Out, Greenbelt ac ati. Gorau'i gyd os gellir manteisio ar y cyfleoedd sydd ar gael i bobl ifanc i dreulio misoedd ar gwrs a phrofiad rhyngwladol – Hyfforddi mewn Cenhadaeth neu'r Gwasanaeth Gwirfoddoli Dramor (VSO), er enghraifft. Mae'n bwysig ymateb iddyn nhw pan ddychwelant adre. Dydy rhoi cyfle iddyn nhw ddweud eu stori, er pwysiced hynny, ddim yn ddigon. Mae angen gofyn 'sut ydyn ni yn yr eglwys hon yn mynd i newid ac ymddwyn yn wahanol oherwydd eich bod chi wedi cael y profiad hwn?' Digalon yw cael eich ysbrydoli gan gynnwrf a bwrlwm profiad mewn lle arall, a chael eich hun, ar ôl dychwelyd, mewn eglwys lle nad oes dim yn newid. Mae lledu gorwelion, gweld beth mae Cristnogion eraill yn ei wneud ac, yn fwy na dim, darllen y Beibl gyda phobl ddiarth, yn llawn bendithion. Pan fyddwch ar wyliau ac yn cael cyfle i droi i mewn i oedfa mewn lle gwahanol, holwch eich hun, 'beth fan yma sy'n dda, beth allwn ei addasu a'i fabwysiadu?'

Does dim o'i le ar fod yn eglwys fechan lle mae pawb yn nabod ei gilydd, a phawb yn tynnu'i bwysau. Eglwysi bychain sydd wedi codi llawer iawn o'n gweinidogion. Does dim o'i le mewn addoli gyda'r ychydig o Sul i Sul, ond gwerthfawr iawn i bawb ydy bod yn rhan o gynulleidfa fawr o bryd i'w gilydd, rhyw ddigwyddiad yn yr ardal –Sul y Cyfundeb efallai, neu ddathliad cenedlaethol. Mae perthyn i dyrfa fawr nawr ac yn y man yn falm i'r enaid.

Rhan bwysig o'r her i ni ydy cael yr eglwysi yn ôl i ganol y gymuned. Fe'u gwelir mor aml yn ddiarth ac amherthnasol a llawer o bobl heb syniad beth sy'n digwydd ynddyn nhw. Dydy'r cwestiwn o berthyn iddyn nhw, neu hyd yn oed alw heibio i weld beth sydd yno, ddim yn codi. Nid cael eu gwrthod y mae'r eglwysi ond cael eu hanwybyddu.

Mae llu o fesurau cwbl elfennol i'w rhoi yn eu lle.

Dylid ystyried:

❖ Gosod hysbysfwrdd deniadol y tu allan i'r capel yn nodi pwy sy'n cyfarfod yno a phryd, a bod croeso i unrhyw un ymuno. Mae'n hanfodol ei fod yn gyfredol. Mae gadael hen bosteri a chyhoeddiadau yn eu lle yn rhoi'r neges nad oes llawer o drefn yma.

❖ Sicrhau bod rhywun yn croesawu wrth y drws, ac yn cynnig aros gyda'r ymwelwyr diarth os dymunant hynny. Mae'n anfaddeuol bod rhywrai'n troi i mewn i'r oedfa ac yn gadael heb i neb gael gair â nhw.

❖ Hysbysu pobl fod croeso cynnes iddynt droi i mewn. Siarad â ffrindiau a chydnabod ydy'r ffordd fwyaf effeithiol o ddenu pobl i'r oedfa. Syniad da mewn cylch trefol ydy rhannu taflenni sy'n dweud ychydig amdanom ac sy'n estyn gwahoddiad. Mae gwahodd pobl yn gynnes yn syniad da, dim ond gofalu peidio â'u plagio! Mae ffyrdd eraill effeithiol o gysylltu, yn eu plith gylchgrawn lliwgar cyson, defnyddio'r wasg leol a thudalennau Facebook.

❖ Y dystiolaeth orau i gyd ydy ansawdd bywyd yr eglwys: yr efengyl yn cael ei chymryd o ddifri a'r drysau ar agor. Peth braf ydy caniatáu i bobl nad ydynt yn aelodau ddod i briodi neu gynnal angladd (neu fedyddio'u plant?). Weithiau bydd gwrthwynebiad yn ein plith, pan deimlwn ein bod yn cael ein defnyddio. Er iddo wybod ei fod yntau'n cael ei ddefnyddio (ddaeth naw o'r deg gwahanglwyfus a gafodd iachâd ddim yn ôl i ddiolch), roedd Iesu'n dal i helpu, heb ofyn dim yn ôl. Gwas Duw oedd Iesu yn gyntaf, ond ein gwas ni hefyd. Ein braint fawr ninnau yw bod yn weision i Dduw ac i bawb. Mae'n werth anelu at wneud y capel a'i adeiladau yn lleoliad y bydd aelodau o'r gymuned leol yn dod i mewn ac allan ohonynt yn gysurus. Datblygiad hynod galonogol ydy gweld ambell gapel wedi'i droi yn ganolfan i'r ardal; mae Bethel Cynghordy yn enghraifft dda, ac mae eglwys gymunedol Llanfair Penrhys yn dal i ysbrydoli'r rheiny sy'n gwybod amdani.

Cydymgyrchu

Ychydig iawn y gall unigolyn ei wneud i ddelio â phroblemau mawr y byd, ond gyda'n gilydd mae llawer yn bosib. Mae rhai cyfryngau wedi'u sefydlu gan yr eglwysi er mwyn iddyn nhw fedru ymateb gyda'i gilydd: Cymorth Cristnogol, Cristnogion yn erbyn Poenydio, Y Genhadaeth i'r Gwahangleifion, Cymdeithas y Beibl, ac ati. Bydd Cristnogion hefyd yn gweithio drwy asiantaethau eraill oherwydd safon a natur eu gwaith: Oxfam, Amnest Rhyngwladol, Y Groes Goch ac ati.

Credodd eglwysi ers blynyddoedd lawer mewn ysgrifennu at aelodau seneddol ac eraill mewn awdurdod, o blaid y gwan ac o blaid cyfiawnder. Bu camau breision yn ddiweddar yn effeithiolrwydd ymgyrchu o'r math hwnnw. Sefydlwyd rhwydweithiau rhyngwladol i'w gwneud yn hawdd deisebu ar faterion gwleidyddol, amgylcheddol, cymdeithasol. Un ohonynt ydy Avaaz, a gafodd ei lansio yn 2007. Dyma'i ddatganiad o fwriad: 'Rydym wedi dysgu fod yr egwyddorion a rannwn ar draws ffiniau oed, cenedl, hil a chrefydd ganwaith grymusach na dim a allai ein gwahanu'. Wrth gyhoeddi yn Rhagfyr 2012 fod yr aelodaeth fydeang bellach yn 17 miliwn dathlwyd gyda'r datganiad hwn: 'Rydym wedi arbed bywydau yn Haiti a Bwrma, wedi gwyrdroi penderfyniadau llywodraethau o Brasil i Siapan, ac wedi ennill buddugoliaethau ar gytundebau rhyngwladol o ddileu bomiau clwstwr i ddiogelu cefnforoedd.'

Rhaid i beth bugeilio torfol ddigwydd yn lleol, ar bynciau fel amddiffyn yr amgylchedd, diogelu ysbytai, sefyll gyda'r tlawd yn erbyn awdurdodau, cydymgyrchu ar faterion heddwch a chymod. Pynciau yw'r rhain a'u tebyg sydd yn y byd gwleidyddol ond mae a fynno Cristnogion â nhw. Haeriad Martin Luther King, Desmond Tutu a'u tebyg yw eu bod yn gweithredu yn y maes gwleidyddol nid am eu bod yn wleidyddion ond am eu bod yn fugeiliaid. I fod yn llwyddiannus mewn rhai achosion – ymladd o blaid diogelu ysgol Gymraeg, er enghraifft – rhaid i'r ymgyrch fod wedi'i gwreiddio'n lleol. Allai Gandhi na Martin Luther King ddim bod wedi cyflawni gwaith y llall.

Tîm Bugeiliol

Caiff adnoddau Duw ar gyfer iacháu eu rhannu â'r claf mewn gwahanol ffyrdd. Un o'r rheiny ydy trwy gyfrwng cymuned ofalgar a chariadus. Bydd yr aelod sy'n ymweld â'r cartref neu'r ysbyty yn mynd yno nid yn unig i fynegi ei gonsyrn ei hunan am y claf ond hefyd ar ran yr eglwys y mae'n aelod ohoni. Nid dod ar ei ben ei hun y mae ond dod yn enw'r eglwys ac yn enw Iesu. Mae ei bresenoldeb yn datgan fod ots gan bobl a bod ots gan Grist.

Mae'r eglwysi lle ceir tîm o ofalwyr ar drywydd da. Adnabod y doniau ydy'r gamp, a'u cymell i gydio yn y gwaith gyda'i gilydd. Lle ceir gweinidog, bydd yn falch o fod yn aelod o'r tîm ac yn falch o gael ei arwain. Bydd angen cymorth arnynt. Dylid eu cynnull yn rheolaidd, i ddosbarthu tasgau a chytuno ar ymweliadau. Mynd bob yn ddau sydd orau fel rheol, oni bai fod rhesymau neilltuol dros beidio. Mae angen rhoi cyfle hefyd mewn cyfarfod felly i gyfarwyddo a chynnal; dylid estyn cyfle i aelodau'r tîm rannu eu pryderon a'u straeon o galondid gyda'i gilydd. Mae angen gofalu am y gofalwyr.

Rhan o hynny yw eu harfogi i wneud y gwaith mor effeithiol ag y gellir ac mewn ffordd fydd yn rhoi boddhad i bawb. Mewn sesiwn drafod gellid crybwyll pethau y dylid eu hosgoi wrth ymweld â chleifion:

❖ Amddiffyn Duw a'r eglwys pan ymosodir arnyn nhw.

❖ Anelu at droi'r sgwrs i gyfeiriad Duw neu aelodaeth eglwysig.

❖ Dweud wrth y claf ei bod yn edrych yn dda (gall golwg fod yn gamarweiniol iawn).

❖ Sôn am ein problemau ein hunain neu'r teulu.

❖ Gofyn i'r claf 'Beth sy'n bod arnoch chi?'

❖ Newid y pwnc pan fydd y claf yn ddagreuol.

❖ Methu ymateb pan fydd y claf wedi agor ei galon i ni.

❖ Meddwl amdanaf fy hun fel 'datryswr problemau'.

❖ Trïo codi calon y claf.

❖ Rhoi'r argraff ein bod ar frys.

Os ydy'r cwbl yna wedi'i wahardd, beth sydd ar ôl? Y peth pwysicaf ydy bod yno gyda'r claf, bod yn agos yn emosiynol. Gellir rhoi llaw ar ei law o bosib. Mae rhyddid gan y claf i godi unrhyw bwnc dan haul, gan gynnwys wrth gwrs y rhai na fyddech chi yn eu codi. Dylid gofyn cwestiynau agored: 'Sut mae hi arnoch chi?', 'Sut ydych chi'n teimlo?'. Y ffordd orau ydy bod yn agos at y claf a gadael iddo ef drafod yr hyn a fyn ef. Y claf sydd i lywio, nid yr ymwelydd.

Wrth ymweld â chleifion tymor hir a'r oedrannus bydd y gofyn yn amrywio'n fawr : cyfle i ddweud sut y mae hi arnyn nhw; cyfle i rannu newyddion: holi am y capel, ei weithgarwch a'i aelodau. Bydd adegau dwys a thawel (aros gyda'r rheiny) a llond gwlad o chwerthin (mwynhau hwnnw). 'Llawenhewch gyda'r rhai sy'n llawenhau, ac wylwch gyda'r rhai sy'n wylo' (Rhuf 12:15). Daw trafodaeth ysbrydol i'r wyneb hefyd, a chais ar dro am gymundeb yn y tŷ. Oedfa fer a syml fydd yn briodol fel arfer, yng nghwmni un neu ddau o'r eglwys a pherthynas teuluol hefyd efallai. Bydd rhai hefyd yn gwerthfawrogi bod ambell oedfa yn cael ei recordio ar eu cyfer.

Mae ein holl ymweld yn weithgarwch dynol ac amherffaith; mae'n bleser ac yn dristwch am yn ail, a phob amser yn fraint. Mae hefyd yn gallu bod yn gysgod o'r defnydd o'r gair 'ymweld' sydd yn y Beibl: 'Bendigedig fyddo Arglwydd Dduw Israel am iddo ***ymweld*** â'i bobl a'u prynu i ryddid' (Luc 1:68). Ac i'r cyfeiriad arall, 'Bûm yn glaf ac ***ymwelsoch*** â mi'(Math 25:36.)

Hanfod bod yn ddisgybl yw gofalu am eraill fel pe baent Grist; ac yn fwy na hynny mae gwasanaeth i'r distadlaf yn wasanaeth i Grist (Math 25:40). Does neb ohonom yn filwr ar ei ben ei hun; rydym bob un yn aelod o fyddin. Meddai Paul Oestreicher, 'Pastoral care is the equipping of the people of God with the weapons of the Spirit to be an effective resistance movement to all that dehumanises, to all that obscures God's presence in every person'.

Ond iddo fod yn ddigon gostyngedig, gall yr ymwelydd dyfu. Yn fwy na hynny hyd yn oed, yn hytrach na bygwth ein lleihau a'n distrywio, gall dioddef fod yn gyfrwng i ni gael ein cyfoethogi fel pobl a thyfu i fod yn ni ein hunain llawnach. Does dim yn rhoi mwy o foddhad i ni na gweld pobl yn cofleidio'r ffydd. Mae'n llawenydd mawr. Ond mater rhyngddyn nhw a Duw ydy hynny yn y pen draw. Fydd y gwaith ddim yn ofer os llwyddwn i helpu pobl i dyfu ac aeddfedu. 'Y nod yw dynoliaeth lawn dwf, a'r mesur yw'r aeddfedrwydd sy'n perthyn i gyflawnder Crist' (Effesisiad 4:13).

Dylid croesawu popeth sy'n rhoi mwy o hunan-hyder i aelodau wrth i'w doniau gael eu rhyddhau, gan gynnwys gweinidogaeth ymweld. Rhaid gwneud popeth y gellir i sicrhau nad yw corff Crist yn cael ei fradychu wrth iddo droi'n fewnblyg. Byddai hynny'n tanseilio'r weledigaeth greiddiol am holl bobl Dduw yn cael rhan yn y genhadaeth y mae Duw wedi'i hymddiried iddynt, i ddwyn pob peth yn y greadigaeth dan ei awdurdod.

YMARFERION

1. Lluniwch daflen yn estyn croeso i bobl yr ardal ddod i'r oedfa: pawb ar wahân yn gyntaf, ac ewch ati wedyn i weld a oes modd eu plethu'n un. Cofiwch fod angen lluniau.

2. Lluniwch ddatganiad cenhadol ar gyfer eich eglwys, ac yna archwiliwch a thrafodwch y posibilrwydd o gael cytundeb ar sut i gynhyrchu fersiwn ar y cyd.

3. Sut mae cynyddu enw da eglwys yn lleol?

PAM BUGEILIO?

'Gall pobl fethu clywed beth a ddywedwn; wnân nhw byth anwybyddu beth ydym.' *Rupert Hambira*

Gall blaenoriaethau eglwys, beth sy'n cyfri fwyaf iddi, newid gydag amser, er gwell ac er gwaeth. Mae'r stori hon yn egluro'r pwynt:

> Byddai llongddrylliad yn arferiad cyffredin ar arfordir peryglus. Ar ôl ymgynghori ymysg ei gilydd, penderfynodd nifer o drigolion yr ardaloedd hynny y byddent yn codi gorsaf achub bywyd fechan. Dim ond un cwch oedd ganddynt ond roedd yr ychydig oedd yn gofalu amdano yn cadw llygad barcud ar y môr, ac aent yn aml i ganol peryglon i achub morwyr oedd mewn helynt. Arbedwyd llawer o fywydau gan yr orsaf fechan. Daeth mwy a mwy i ymddiddori yn ei gwaith, gan gynnwys rhai oedd wedi'u hachub, a rhoi o'u hamser a'u harian a'u hymdrech i gefnogi'r gwaith. Prynwyd cychod newydd a hyfforddwyd criwiau newydd. Roedd yr orsaf achub bywydau yn tyfu.
>
> Teimlai rhai o aelodau'r orsaf fod yr adeilad braidd yn siabi. Dylid darparu lle mwy cysurus. Felly prynwyd gwelyau taclus yn lle'r hen fatresi-ar-lawr, a chael dodrefn mwy modern mewn adeilad noblach. Daeth yr orsaf arbed bywyd yn fan ymgynnull poblogaidd i'r aelodau, ac aethant ati i'w haddurno'n hardd a'i dodrefnu'n ddestlus. Roedd yn fath o glwb iddyn nhw. Erbyn hyn roedd llai o'r aelodau'n barod i fynd yn y cychod, felly dyma dalu criwiau achub bywyd i wneud y gwaith ar eu rhan. Roedd llun y cwch yn dal ar y logo.

Drylliwyd llong fawr mewn storm a daethpwyd â llu o bobl oer a gwlyb a hanner-marw i'r orsaf. Roedd rhai yn frwnt ac yn sâl , ac nid pobl wynion oedden nhw i gyd. Roedd anhrefn yn y clwb newydd hardd. Penderfynodd y pwyllgor adeiladau godi stafell gawod y tu allan, er mwyn medru golchi pobl cyn dod â nhw i mewn.

Yn y cyfarfod nesa, holltwyd yr aelodaeth. Barnai'r rhan fwyaf y dylid rhoi'r gorau i arbed bywydau gan ei fod yn annymunol ac yn tarfu ar fywyd arferol y clwb. Mynnai eraill mai achub bywydau oedd eu pwrpas cyntaf, gan bwysleisio eu bod yn dal i gael eu galw'n orsaf achub bywydau. Colli'r dydd wnaethon nhw, a dywedwyd yn blaen wrthynt y gallent symud ymhellach draw ar hyd yr arfordir a chodi gorsaf newydd os oedden nhw'n dal yn awyddus i achub y gwahanol fathau o bobl fyddai'n cael eu llongddryllio. Dyna wnaethon nhw.

Wrth i amser fynd rhagddo, digwyddodd yr un newidiadau yn yr orsaf newydd. Datblygodd yn glwb, a ffurfiwyd gorsaf newydd arall yn ei lle. Digwyddodd yr un peth droeon, ac os ymwelwch chi â'r arfordir hwnnw fe welwch nifer o glybiau, amryw wedi colli'u graen cofiwch, ond maen nhw'n dal yno. Mae llongau'n cael eu dryllio o hyd gan stormydd yn yr ardal honno, ond mae'r rhan fwyaf o'r morwyr yn boddi.

Gall eglwys fod yn drefnus ac atyniadol ond os nad yw hi'n ceisio cyfarfod ag anghenion dyfnaf pobl, mae'n amherthnasol i raddau helaeth. Sut gall ei haddoli chwaith fod yn ddilys mewn amgylchiadau felly? (Amos 5 :21-24) Mae gofyn i ofal bugeiliol fod yn greiddiol i fywyd eglwys.

Beth ydy'r cymhellion? Mae'n haws dechrau drwy ddweud beth **nad** ydynt.

❖ Fyddwn ni ddim yn bugeilio er mwyn ceisio cael perswâd ar bobl i ddod i'r capel. (Mae efengylu, gwahodd pobl i gredu'r efengyl, yn weithgarwch Cristnogol dilys, cynnal ymgyrch pamffledu ardal, curo ar ddrysau... ond nid bugeilio mo hynny).

❖ Fyddwn ni ddim yn bugeilio er mwyn cael unrhyw wobr, ddim hyd yn oed ffydd. Ymddengys na fyddai Iesu'n gwahodd pawb y byddai'n eu hiacháu i'w ddilyn – i'r gwrthwyneb, roedd fel pe'n gwahardd rhai (Luc 9 : 57-62). Roedd y gwyrthiau, wrth gwrs, yn arwydd fod y deyrnas yn agos, a bydd ein gofal bugeiliol ninnau'n gysgod o'r un peth, drwy ras.

Mae'r ffydd Gristnogol yn tarddu mewn diolchgarwch; ymateb ydyw. Yr hyn a welodd y Cristion, hyd yn oed os nad yw'n ddim mwy na chipolwg, yw rhywbeth o'r cariad sy'n cartrefu'n dragwyddol yng nghalon Duw. 'Duw cariad yw.' Cred y Cristion ei fod yn gweld y cariad hwnnw ar waith, yn rhannol ym myd natur, yn rhannol yng ngharedigrwydd pobl, yn bennaf yn Iesu. Mae ei fywyd ef yn ymgnawdoli'r cariad hwnnw. Gŵyr y Cristion ei fod yn un y mae Iesu'n ei garu, a hynny'n ddiamod. Fedr dim symud y gosodiad 'Cariad yw Duw' o galon y Cristion. Cred mai dyna'r grym mwyaf sydd. Mae Duw yn hollalluog ac, yn y pen draw, fedr dim rwystro'i fwriadau, a dim ond mewn cariad y gellir eu cyflawni. Does dim yn gryfach na chariad: dyma'r unig rym all ennill y galon; does dim yn wannach chwaith: all cariad wneud dim heb gydweithrediad. Daeth cariad Duw i'r golwg yn ei anterth yng nghroes Iesu. Ynddi hi y daliwyd calon ac ewyllys a dychymyg a serch pobl ar hyd y canrifoedd. 'Iesu, Iesu, rwyt ti'n ddigon.'

Ymateb mewn diolch i gariad ydy'r cymhelliad. 'Yr ydym ni yn caru am iddo ef yn gyntaf ein caru ni.'(1 Ioan 4 ,19) Yn ymarferol, golyga hynny y byddwn yn ceisio adlewyrchu'r cariad diamod hwnnw tuag at bobl eraill. Gwnawn hynny nid i adael argraff arnynt nac i'w troi at y capel, ond yn syml i fod gyda nhw yn enw Iesu.

Ymateb yw cariad. Mae hefyd yn orchymyn, 'Câr yr Arglwydd dy Dduw... a châr dy gymydog.' (Luc 10) Does dim modd caru Duw heb garu cymydog (Amos 2 : 6-8; 1 Ioan 4 :20). Dyma'r canol. (Ioan 15: 12 – 13)

Pan fydd yr eglwys yn gofalu'n gostus am bobl, efelychu'i Harglwydd y mae. Daeth Iesu'n un ohonom. Pwysleisio hynny yw un o'r rhesymau y cynhwyswyd rhestrau ei achau yn y Beibl. Sut y gallai ddod i'n plith, a bod yn un ohonom, heb ddioddef gyda ni? Siam fyddai hynny. Chwarae bod yn ddyn. Fe'i gwelwn yn was, drwy'i weinidogaeth a, rhag ofn na ddeallwn, dywedir wrthym ar ei ben mewn gair a llun (Ioan 13: 14). Cymhellir ninnau i'n gweld ein hunain yn weision, ac i ymddwyn felly.

Yn ogystal â bod yn weision, rydym yn gorff Crist. Rhaid i ni wylio, yng nghysgod hynny, rhag i ni ddwyfoli'r eglwys ac i hynny ein gwneud yn drahaus, ac inni gymryd arnom ein hunain awdurdod na roed mohono i ni. Mae'r ddelwedd yn pwysleisio dau beth: mai gyda'n gilydd y gallwn wasanaethu, ac mai Iesu yw'n pen.

I Dduw, nid i'r byd, yr ydym yn atebol, meddai Dietrich Bonhoffer dri chwarter canrif yn ôl. Fe'n gelwir yn y diwedd i fod yn ufudd i Dduw, ac i neb na dim arall. Ychwanega fod yr eglwys yn eglwys yn unig pan yw'n bodoli er mwyn eraill. Rhaid i'r eglwys, meddai, rannu ym mhroblemau seciwlar pobl gyffredin, nid wrth arglwyddiaethu, ond wrth helpu a gwasanaethu.

Poen o bob math sy'n pwyso fwyaf, poen corfforol, meddyliol, emosiynol. Ai Duw sy'n gyfrifol? Pam ei fod yn ei ganiatáu? Oes ots ganddo? Ymddengys yn aml nad yw Duw ar gael pan fo'i angen fwyaf. Yn *The Crucified God* mae Jurgen Moltmann yn sôn am ddigwyddiad yn un o wersylloedd y Natsïaid. Roedd Iddew yn cael ei grogi yng ngolwg pawb, a'r dienyddwyr heb wneud eu gwaith yn glinigol. Hongiai'r truan yno am oesoedd yn taflu'i freichiau a'i goesau. Syllai pawb mewn distawrwydd llethol nes bod rhywun yn gweiddi, 'Ble mae Duw nawr?' a rhywun arall yn ateb, 'Dyna fe fan'na, yn hongian wrth y rhaff'. 'A dyna'r unig ateb moesol posib,' meddai Moltmann.

Y Crist dioddefus ydy testun cân caethweision taleithiau deheuol America. Mae eu hemynau'n canolbwyntio ar y croeshoelio a'r atgyfodi. Nid y Nadolig ydy'r ŵyl fawr, ond y Pasg. Ym mhoen Iesu, teimlent ei fod yn uniaethu â nhw yn eu dioddefaint a'u cyflwr dirmygedig mewn byd anghyfeillgar ac annynol. Yr un pryd teimlent nad oedd Iesu, pan hoeliwyd ef ar y groes a'r milwr Rhufeinig yn trywanu'i ochr, ar ei ben ei hun. Dioddefodd y caethweision du gydag ef, a marw gydag ef. Mae Moltmann eto yn nodi ei bod yn amlwg nad gweld ynddo rhyw 'druan bach' anffodus arall na chafodd fwy o lwc na nhw y maent. Canfyddant ynddo'r brawd sydd wedi gadael y ffurf ddwyfol a gwisgo ffurf caethwas (Philip 2 : 6-7).

Gallai Iesu fod wedi cilio 'nôl i Galilea o ardd Gethsemane, ond dewisodd wynebu'r groes a'i phoen dirdynnol. Yno y gwêl y Cristion gliriaf fod Duw gyda ni yn ein gwewyr gwaethaf, a gweld hefyd nad yw'r trais a'r mileindra mwyaf ffiaidd yn gallu diffodd ei gariad.

Cariad Duw yn Iesu Grist sy'n ysbrydoli ein cariad ninnau. Yn wyneb y gorchymyn i garu a'r esiampl o gariad ac, uwchlaw popeth, gwybod am y cariad hwnnw, allwn ni ddim llai na gadael i gariad lifo drwy ein bywyd ninnau. 'Câr dy gymydog fel ti dy hun.' Dyw caru cymydog ddim yn golygu bod yn rhaid ei hoffi. Nid gweithred yr emosiwn ydyw yn y bôn, ond gweithred yr ewyllys. Mae'n golygu gwneud ein gorau drosto. 'P'un ai wyt ti'n ffrind i mi ai peidio, fe wna i bopeth fedra i er dy fwyn di.'

Heb gariad, meddai'r apostol, dydyn ni'n ddim. Gallwn gyflawni gweithredoedd anhygoel o anhunanol – gwerthu pob peth a rhoi'r cwbl i'r tlodion, er enghraifft – ond os gwneud hynny i gael sylw a chlod i ni ein hunain yr ydym, ac nid o gymhellion cariad, mae'r cyfan yn ofer o'n rhan ni; mae dilysrwydd ein ffydd yn dibynnu ar faint ein cariad.

Mae haenau o anghenion yn hanes pawb. Mae'r angen i berthyn a chael ein gwerthfawrogi yn eu plith. Mae dy angen di arnaf i i fod yn fi fy hun. Rhaid i mi golli fy mywyd unigol fy hun yng nghwmni pobl eraill, ac yng nghwmni agos ambell un. Nid mater o gael pobl i ymuno â rhyw fudiad neu grŵp ydy hyn yn y bôn, ond gwahodd pobl i ddod a theimlo eu bod yn cael eu derbyn yn gynnes mewn cylch o bobl sy'n eu croesawu ac yn eu harwain i ddeall fod ganddynt gyfraniad i'w wneud yn ogystal â rhodd o gyfeillgarwch i'w derbyn. Cwestiwn da i aelodau eglwys Iesu Grist holi iddynt eu hunain yw hwn: pe baen ni'n teimlo'n ynysig ac unig, a fyddai ansawdd rhyw eglwys yn ein denu ati? A fydden ni'n teimlo, 'dyma ni wedi dod adre; fan hyn rydym ni'n perthyn'?

Un arall o'n hanghenion sylfaenol yw derbyn sylw, cael ein cydnabod. Mae un o gymeriadau Harold Pinter yn dweud wrth un arall,'Rwyt ti wedi ngweld i, onid wyt? Wnei di ddim dod 'nôl yma a dweud na welaist ti erioed mohonof i, na wnei?' Mae gan bawb ddyhead i gael ei glywed. Mae gwrando ar rywun arall yn swnio'n beth hawdd iawn i'w wneud, ond y gwir amdani yw mai peth prin ydy gwrando o ddifri. Mae llwyddo i wneud hynny yn rhodd werthfawr iawn. Pe gallem wneud yn amlach byddem yn ddiarwybod i ni ein hunain yn dechrau iacháu clwyfau pobl. Gorau i gyd os gallwn ddweud rhywbeth caredig wrth rywun sydd wedi'i frifo, fel yr athrawes honno a ddywedodd yn dawel wrth ferch fach oedd yn cael ei bwlio yn ei dosbarth, 'fe hoffwn i pe taset ti'n ferch fach i mi'. Ond wrth gwrs, oni bai fod gair felly'n dod o'r galon yn gwbl ddiffuant, byddai'n well hebddo.

Caiff pobl eu trafod yn amhersonol yn aml. Mae cymaint yn ein byd yn ein dad-ddynoli. Gweithred o ofal a chariad yw rhoi amser i bobl, a'u derbyn fel y maent. Rhyddhau pobl o rai o'r rhwystrau sy'n eu hatal rhag bod yn hwy eu hunain ar eu gorau yw'r nod. Nid eu gwneud yn gysgod ohonon ni ydy'r bwriad, yn siŵr! Os gallwn arfer y gofal diamod hwnnw bydd hynny'n dystiolaeth gref dros yr efengyl. Iesu fydd yn ysbrydoli'r gofal, ac ef fydd y patrwm, a hyd yn oed pan na fydd ei enw'n cael ei ynganu caiff ei bresenoldeb a'i fendith eu cyfleu.

Cyfrinach yr un sy'n gofalu ydy medru deall rhywfaint o achos clwyfau'r un y mae'n gofalu amdano. Bydd yn anelu at wrando'n drwyadl fel bod yr emosiynau'n cael eu gollwng a'r gwenwyn yn diferu allan, ac wrth wneud hynny bydd yn rhaid iddo fod yn barod i'w hamsugno. Weithiau bydd y clwyf wedi caledu a'r gwenwyn yn ddwfn, wedi'i wthio yno, ac yn rhy anodd i'w ystyried hyd yn oed; mae'r cofio'n rhy boenus neu'r euogrwydd yn rhy finiog; ei gladdu sydd saffaf. Ond drwy ei orchuddio, mae'r clwyf yn tyfu'n fwy gwenwynllyd fyth. Gwyn ein byd os gallwn, drwy rannu'r boen, gynorthwyo'r Meddyg yn ei waith iacháu. Yr un gair sydd yn y Testament Newydd am 'achubwyd,' 'iachawyd,' a 'gwnaed yn gyfan'. Ar hynny y mae bryd Iesu yn ein dyddiau ninnau.

YMARFERION

1. O gofio stori'r bad achub, pwy yw'r rhai mewn trybini y gallem ni fod yn eu helpu?

2. Sut y mae ymateb i glaf sy'n wynebu triniaeth yfory ac sy'n dweud wrthych, 'Mae ofn arna i'?
a. Cafodd fy mrawd driniaeth debyg llynedd a gwella'n gyflym.
b. Does dim i'w ofni.
c. Mae hynny'n naturiol iawn. Beth sy'n eich poeni fwyaf?

3. Sut y byddech chi'n delio â rhywun yn dweud wrthych:
a. Dydych chi ddim yn fy helpu i.
b. Ewch chi i helpu pobl sydd â mwy o angen help arnyn nhw na fi.

GWRANDO

'Ystyriwch, fy nghyfeillion annwyl. Rhaid i bob un fod yn gyflym i wrando, ond yn araf i lefaru.' *(Iago 1 : 19)*

Yn aml iawn y ffordd orau i helpu rhywun sydd mewn argyfwng emosiynol ydy gwrando. Dyw gwrando'n dda ddim yn ddawn gyffredin, a bydd y rhan fwyaf ohonom sy'n gweld gwerth gwrando yn barod iawn i dderbyn cyngor a chyfarwyddyd er mwyn i ni fedru gwrando'n well.

Pan ddaw rhywun â phroblem atom, ein greddf yw dymuno helpu. Mae'n rhaid bod rhywbeth y gallwn ei wneud i ysgafnhau'r baich, pe na bai'n ddim ond estyn cyngor. Wel, y gwir amdani yw y bydd pethau i'w gwneud weithiau, ond anaml iawn y gellir cyfiawnhau estyn cyngor. Camp y bugail ydy helpu'r un sydd mewn picil i gael hyd i'w ffordd ei hun drwy'r gors. Mae gwrando astud, a helpu'r llall i ddweud ei stori, yn fwy tebygol na dim o ysgafnhau'r baich.

Nid dewis y ffordd hawdd ydy gwrando. Y llwybr hawdd ydy estyn cyngor. Oes rhywbeth yn rhwyddach na chael trefn ar fywyd rhywun arall? Ond gwrandewch, dyw hynny ddim yn help! Pan awgrymwyd mewn cyfweliad wrth un o seiciatryddion Cristnogol mwyaf y ganrif ddiwethaf, Paul Tournier, ei fod o reidrwydd wedi estyn cyngor doeth i filoedd o bobl, ei ateb oedd iddo wneud ei orau glas i **beidio** â chynghori neb, ond iddo wneud pob ymdrech i'w helpu i ganfod eu hateb eu hunain. Yr hyn sy'n help ydy gwrando, yn ofalus, gan ganolbwyntio ar yr hyn a ddywedir –mewn geiriau ac yn ddieiriau – ac ymateb mewn ffordd fydd yn helpu'r llefarydd i ddweud mwy.

Os daw rhywrai sydd mewn argyfwng atom i rannu eu helbul, maent yn haeddu ein sylw llawn. Rhaid canolbwyntio'n llwyr ar yr hyn a ddywedant. Twyllo yw rhoi'r argraff fod gen i ddiddordeb yn yr helbul os ydw i mewn gwirionedd yn rhoi hyd yn oed gyfran o'm sylw i bethau eraill. Rhaid i mi fod o ddifri, a chyfleu iddyn nhw fod fy amser, a'm meddwl, a'm calon yn eiddo'n llwyr iddyn nhw y funud honno, ac nad oes neb yn y byd oll yn bwysicach na nhw ar y pryd. Mae gwrando felly yn mynnu didwylledd. Maent hefyd yn haeddu ein bod yn parchu cyfrinachedd. Does dim esgus, na byth gyfiawnhad, dros rannu gydag eraill gyfrinachau a ymddiriedwyd i ni. Ar wahân i un eithriad - camdrin plant. Ni ellir cadw'r gyfrinach honno.

Cymwynas fawr ydy bod ar gael i wrando. Yn aml mae dwyn i'r wyneb yr hyn sy'n wybyddus ac yn hanner cuddiedig, yn ddigon i ysgafnhau baich ac i glirio'r ffordd at ddatrys problem. Byddwch yn synnu pa mor aml y bydd pobl mewn sefyllfa anodd yn diolch i chi am eich help, a chwithau heb wneud dim ond gwrando ar eu stori a'u helpu i'w dweud yn llawnach. Ond bydd gwrando gofalus yn rhoi cyfle i'r un sy'n siarad glywed ei hun mewn ffordd newydd ac i ganfod ei ffordd ei hun i ddatrys yr anhawster.

Yr arbenigwyr ar wrando ydy'r Samariaid. Maen nhw yno, ddydd a nos, i wneud dim ond gwrando ar bobl sydd wedi cyrraedd pen eu tennyn. Mae'n wasanaeth y mae galw mawr amdano, gyda dros bum miliwn o alwadau ym Mhrydain ac Iwerddon bob blwyddyn. Heb ronyn o amheuaeth, mae'n arbed ugeiniau o fywydau'r flwyddyn. Mae'n gweithio. Mae'n effeithiol. Mae'n nerthol.

Wrth ysgrifennu ei gofiant, mae Chad Varah, sefydlydd mudiad y Samariaid, yn rhoi enghraifft o werth gwrando drwy gyfeirio at ei brofiad ei hun. Roedd dynes wedi dod i'w weld yn y ganolfan yn Llundain. Disgrifiodd ei phroblemau y tro cyntaf yn hir ac yn flêr. Yr ail dro roedd ei hymdrech yn hwy ond yn fwy trefnus. Y trydydd tro roedd yn fyrrach ond yn canolbwyntio mwy ar yr hyn oedd yn berthnasol i'w helyntion. Roedd y pedwerydd tro rywbeth tebyg, ond y pumed tro roedd yn aros bob hyn a hyn ac yn dweud wrthi'i hunan beth ddylai ei wneud. Ar y diwedd fe gododd ar ei thraed, ysgwyd llaw â Chad a dweud 'Diolch yn fawr iawn i chi – dyna'r cyngor gorau ges i erioed'. Doedd e ddim wedi ei chynghori o gwbl, dim ond gwrando a gofyn ambell gwestiwn bob hyn a hyn. Y ddau sylw mae Chad yn eu gwneud yw mai dim ond y wraig ei hunan allai gynghori ei hun yn y pen draw am mai hi oedd yr unig un oedd yn gwybod yn iawn beth oedd ei hamgylchiadau a beth roedd hi'n barod i'w wneud drosti'i hun. Yn ail roedd angen pâr arall o glustiau arni i wrando arni'n rhannu ei hanawsterau a'i theimladau. Hynny, ar wahân i berson arall yn cydymdeimlo â hi, oedd cyfraniad y Samariaid.

Yr un sy'n chwilio am gymorth sydd i gael y flaenoriaeth. Unig agenda'r gwrandäwr yw helpu'r un sy'n dadlwytho'i faich i weld ei ffordd drwy'r drain. Mae gofyn i'r cwnselydd, wrth y dasg honno, i ymddwyn yn wahanol o gymharu â bod mewn sefyllfaoedd eraill, mewn cylch trafod, neu wrth bregethu, dyweder. Bydd ei ymddygiad, ei osgo, ei eiriau, ei dawelwch, yn meithrin llonyddwch wrth iddo geisio deall ac amgyffred y broblem. Bydd yn ennyn ymddiriedaeth trwy ddweud cyn lleied ag a all, tra ar yr un pryd yn annog y llall i ddweud cymaint ag a all.

I wneud hynny'n dda mae angen hyfforddiant, oherwydd mae sgiliau i'w dysgu.

Cystal dechrau gyda rhestr o bethau na ddylid eu gwneud:

❖ Rhaid datgan eto nad ydy estyn cyngor i rywun mewn sefyllfa o densiwn emosiynol yn syniad da. Ar ei waethaf mae'n haerllug : mae rhywun wedi poeni ddydd a nos ers tro ac yn methu gweld ffordd trwodd, ac yn cael nerth i ddod atoch a rhannu'r baich, a chwithau mewn dau funud, cyn clywed y stori i gyd, yn dweud beth sydd i'w wneud! Yr unig beth mae hynny'n debygol o'i wneud yw cau'r drws ar drafodaeth bellach, a'ch pellhau oddi wrth yr un sydd angen help. Rhaid gwrthod y demtasiwn i setlo problemau pobl eraill. Trueni hefyd, a ninnau mor ddoeth! Y gamp ydy eu cael nhw i fan lle gallan nhw wneud yr hyn sy'n iawn iddyn nhw.

❖ Gweithred debyg iawn i estyn cyngor ydy dweud, 'Dyma wnes i,' neu 'Dyma fyddwn i'n ei wneud'. Chi wedyn ydy'r un sy'n gwybod ac yn cyfarwyddo. Fe'ch rhowch eich hun yn gyntaf wrth siarad felly, a gwthio'r llall i'r ail le. Thâl hynny ddim. Nhw sy'n haeddu'r flaenoriaeth. Nid i'w meistroli yr ydych yno ond i wasanaethu.

❖ Dylid osgoi holi 'Pam?'. 'Pam?' meddech chi! Yn un peth, mae'n gwestiwn ymenyddol. Efallai y byddai'r person o'ch blaen yn medru ateb, efallai na allai a, phe digwyddai hynny, byddai'n teimlo'n fethiant. Mae'n ddigon posib y byddai'r baich yn diflannu pe gallai ddweud pam. Mae'r holi yn ychwanegu at y dryswch. Ac mae'r sylw wedi'i dynnu oddi ar yr ochr emosiynol. Yn beth arall, yn ddigon aml mae sawr beirniadol i'r cwestiwn, a dyna chi wedi ei yrru oddi wrthych.

❖ Mae'n demtasiwn weithiau i newid y pwnc. Gall mater fod yn un anodd ei ddwyn i sylw rhywun arall a gall fod hefyd yn anodd i'r gwrandäwr ei glywed. Mae diogelwch arwynebol y funud honno mewn dychwelyd at rywbeth saff. Ond fu dim ennill. Fel arfer mae mwy o fudd mewn aros gyda'r anodd ei ddweud a'i glywed, er bod yr emosiynau'n gryf a'r dweud yn anodd. Amynedd sydd angen, a bod yn ddigon dewr i aros ar y trywydd os ydy'r llefarydd yn barod i wneud hynny. Mae caniatáu trafod deunydd poenus yn talu ar ei ganfed.

❖ Cladder ystrydebau. Maen nhw'n wir, ydyn. Ond dyw'r gwir i gyd ddim ynddyn nhw! Mae eu defnyddio yn gwneud pethau'n haws o lawer i'r siaradwr, a'u clywed yn rhybudd eglur i'r gwrandäwr nad oes dyfodol i'r drafodaeth hon. Os am ladd y cyfle i helpu, defnyddiwch ymadroddion fel, 'Mi ddaw pethau'n well,' neu 'Mi allai fod yn waeth'.

❖ Un o'r gofynion sylfaenol yw bod yn barod i glywed yn anfeirniadol. Allwch chi ddim bod yn gynorthwyol heb arfer empathi, ceisio rhoi eich hun yn sefyllfa'r llall gyda chydymdeimlad. Byddai ebychiad beirniadol fel 'Wnaethoch chi mo hynny!' neu 'Dyna beth ffôl i'w wneud!' yn ddigon i gau'r drws ar unrhyw wrando creadigol. Dydy gwrando anfeirniadol ddim yn golygu cymeradwyo. Rhaid i chwithau, wrth reswm fod â hawl i ymryddhau, er mwyn y ddau ohonoch, os teimlwch na allwch drafod ymhellach gyda chydymdeimlad, ac awgrymu falle mai gwell fyddai troi at gwnselydd arbenigol.

Trown nesaf at agweddau cadarnhaol y dasg. Dyma'r prif bethau y dylid eu gwneud:

❖ *Ymlacio.* Er i'r un sy'n ceisio help fod yn gynhyrfus ac yn amlwg dan straen, dylai'r gwrandäwr wneud ei orau i sicrhau cymaint o lonyddwch ag sydd modd. Mae trefnu'r cadeiriau yn gallu bod yn help, nid ochr yn ochr fel rheol, er y gall taith mewn car fod yn gyfle oherwydd nad yw'r sgwrs mor fygythiol â'r wyneb yn wyneb. Ceisiwch osgoi rhythu i wyneb y llall chwaith. Mae helpu i greu awyrgylch gartrefol a chynnal osgo gwrandawgar yn ddechrau da.

❖ *Gwrando'n ofalus.* Rhoi eich holl sylw i'r hyn sy'n cael ei ddweud. Gwyddom i gyd mor hawdd ydy hanner gwrando: 'Mi glywais ferch y tywydd gynnau, ond beth ddywedodd hi?' Un o'r pethau all fod yn eich meddwl wrth wrando ydy rihyrsio eich ateb chi pan ddaw llif y geiriau i ben, neu yn waeth byth, torri ar draws gyda'ch sylwadau. Mae'r llefarydd yn hawlio eich bod yn canolbwyntio yn llwyr. Nid yn unig ar y geiriau y mae gofyn gwrando, ond ar yr hyn sydd o danynt, y llinell fas fel y gelwir hi weithiau, ac wrth gwrs yr iaith gorfforol a thôn y llais. O'i wneud yn iawn mae'n waith caled.

❖ *Cofio* Mae'n haws cofio pan wrandawn yn ofalus a siarad dim ond ychydig ein hunain. Mae cofio yn bwysig nid yn unig am y bydd y darlun llawnaf posib yn ei gwneud yn haws i ni helpu, ond hefyd am ei fod yn arwydd i'r un sy'n gofyn am ein help fod ots gennym, ein bod yn ei gymryd o ddifri.

❖ *Gofyn cwestiynau agored.* Mae angen holi am ffeithiau wrth reswm, er mwyn i chi gael darlun mor llawn â phosib o'r sefyllfa. Ond dylai'r sgwrs arwain at gwestiynau sydd y tu hwnt i hynny, yn delio â'r emosiynau. Cwestiynau fel 'Sut ydych chi'n teimlo ynglŷn â hynny?', 'Pa fath o deimladau oedd gennych chi pan ddigwyddodd hynny?', 'Beth yw'r peth anoddaf i chi ar hyn o bryd?'

❖ *Helpu'r llall i ddweud mwy.* Bydd pethau y mae'r siaradwr yn eu cael yn anodd eu dweud, yn anodd eu hwynebu ei hunan heb sôn am fod yn anodd eu rhannu â rhywun arall. Fedrwn ni ddim claddu ein hemosiynau'n farw; maent yn para'n fyw rywle'n ddwfn yn ein hymysgaroedd. Drwy holi a gwthio'n ysgafn ac yn sensitif gellir ei helpu i'w dwyn i'r golwg. Peidiwch â phoeni os tybiwch yn ddiweddarach i chi golli rhywbeth; os yw'n bwysig, caiff ei gyffwrdd eto mewn rhyw ffordd neu'i gilydd yn nes ymlaen.

Dyma ffyrdd sy'n gallu bod yn effeithiol i dynnu rhagor i'r golwg, tra ar yr un pryd yn gadael yr awenau yn llaw'r siaradwr:

❖ Caniatáu seibiannau. Peidio â neidio i mewn mor gyflym gyda'ch ymateb. Caniatáu mwy o oedi nag mewn sgwrs arferol.

❖ Aralleirio. 'Fe'ch clywais chi'n dweud...' Mae hynny'n cyfleu eich bod yn gwrando o ddifri, yn ogystal â rhoi cyfle i'r siaradwr roi darlun llawnach ac egluro'i hun yn well.

❖ Ffordd debyg iawn yw cadarnhau, 'Os ydw i wedi deall yn iawn, dyma sut rydych yn teimlo...'

❖ Gall ailadrodd fod yn ffordd effeithiol. Gwneud dim ond bwrw gair neu ddau yn ôl i wahodd ymhelaethu, os dymunir.
'Roeddwn i'n ddig/grac iawn hefo fo/fe!'
'Yn ddig?'
'Wel oeddwn. Wnaeth o mo nhrafod i'n deg.'
'Ddim yn deg?'
'Naddo siŵr, achos...'

I grynhoi. Mewn sefyllfa fel hyn ein gwaith ni ydy gwrando. Dim ond hyn a hyn y gellir ei wneud mewn un sesiwn; fel arfer bydd angen cyfarfod sawl gwaith. Ein tasg yw osgoi siarad yn rhy fuan, yn rhy aml, yn rhy hir. Y gamp ydy helpu'r llefarydd i'w glywed ei hun.

Unwaith eto cofiwch nad profiad diarth fydd i rywun ddiolch i chi am eich cyngor, a chwithau heb estyn yr un gair o gyngor! Wrth egluro i chi, maen nhw wedi gweld eu ffordd eu hunain drwy'r niwl, a chanfod beth maen nhw am wneud nesaf.

Wrth ddirwyn yr adran hon i ben, mae un pwynt pwysig iawn i'w gofio. Oes, mae technegau i wrandäwr eu dysgu, pethau i'w harfer a phethau i'w hosgoi, er mwyn bod yn fwy effeithiol. Ond cofier na fydd y rheiny ynddynt eu hunain yn ddigon; mae angen didwylledd, rhaid bod â gwir ofal am les a ffyniant y llall. Camgymeriad mawr ydy trïo ffugio consyrn a chariad. Fydd y ffalster ddim yn hir yn dod i'r golwg. Ac mae'n ddifäol. 'Bydded eich cariad yn ddiragrith.' (Rhuf 12 ; 9). Peidiwch â rhoi staen ar y peth harddaf sydd gennych.

YMARFERION

1. a) Gwrando da

Rhannwch y grŵp yn barau, a gofynnwch i un siarad â'r llall am bum munud ar bwnc y cytunwyd arno, er enghraifft, 'tripiau Ysgol Sul a gofiaf' neu 'diwrnod difyr'. Dyw'r partner i wneud dim ond gwrando heb ddweud yr un gair. Yna mae'r gwrandäwr yn cael tri munud i adrodd yn ôl yr hyn a glywodd, mewn trefn os yn bosib. Wedyn dylai'r parau gyfnewid a gwneud yr ymarfer y ffordd arall.

b) Gwrando gwael

Rhannwch y grŵp yn barau unwaith eto, a'r tro hwn gofynnwch i un siarad am dri munud ar rywbeth sy'n bwysig yn ei olwg. Mae'r llall yn gwrando am hanner munud ac yna yn amlwg yn troi ei feddwl at bethau eraill. Wedyn mae'r parau'n cyfnewid a gwneud yr ymarfer y ffordd arall. Sut roedden nhw'n teimlo? Mae'r rhan fwyaf yn ei chael yn anodd i ddal i siarad heb fod y llall yn gwrando.

2. Dywedir mai tua 30% o'n cyfathrebu sy'n digwydd trwy gyfrwng geiriau. Ym mha ffyrdd eraill y byddwn yn cyfleu neges?

3. Sut y mae ymateb orau i rywun sy'n dweud 'Rydw i'n teimlo fel lladd y dyn drws nesa!'
a. Wel, am ofnadwy!
b. Mae'n swnio fel teimlad annymunol iawn.
c. Beth sy'n achosi i chi deimlo fel yna?

4. Dywedodd rhywun ei fod yn mynd i gael triniaeth ar ei galon yn yr ysbyty wythnos nesa. Yr ymateb a gafodd oedd: 'Mi gefais innau'r driniaeth honno dair blynedd yn ôl. Roedd yn gyfnod dychrynllyd.' Nodwch y rhesymau pam y mae'r ymateb yn anghywir.

GALAR

'Dim ond pobl sy'n abl i garu'n fawr all hefyd ddioddef galar mawr.' *Leo Tolstoy*

Rhan naturiol ac angenrheidiol o'n byw yw bod ymlyniad rhyngom a phobl eraill. Pan fydd y cyswllt yn cael ei dorri, mae'n brofiad poenus. Mae maint y boen yn dibynnu ar natur y berthynas a gollwyd.

Dyw ceisio dygymod â cholledion ddim yn ddiarth i ni. Gall peth cymharol ddibwys fel colli llythyr neu lyfr neu allwedd darfu cryn dipyn arnom. Mwy difrifol yw colli gwaith, colli cyfrifoldeb, colli golwg, methu â gwneud drosoch eich hunan, methu cerdded, ac yn y blaen. Collwn gyswllt â phobl sy'n bwysig iawn i ni, mewn pob math o ffyrdd:

❖ Cael ein gwahanu oddi wrth ffrindiau a theulu trwy ein bod ni neu nhw'n mudo.

❖ Cael ein gwahanu oddi wrth gymar drwy ysgariad, lle, ar ben popeth arall, y gall yr ymdeimlad o fethiant ac o gael eich gwrthod fod yn llethol.

❖ Yn dilyn rhieni'n gwahanu, efallai y bydd y cwlwm tyn a chynnes rhwng wyrion ac wyresau ar y naill law a thaid a nain ar y llall yn hynod boenus.

Mae marwolaeth perthynas neu ffrind agos yn achosi galar dwfn. Os oedd y cwlwm yn un tyn a chariadus bydd yr hiraeth yn llethol. Ond does dim rhaid i'r ddolen fod yn gynnes i'r galar fod yn gryf. Gall perthynas helbulus olygu fod ffactorau eraill, fel euogrwydd, yn cymhlethu pethau ymhellach.

Mae pris i'w dalu am gariad – ac am ddiffyg cariad, fel y nodwyd. Golyga marwolaeth rhywun agos fod bwlch mawr yn agor mewn bywyd. Nid peth anghyffredin ydy clywed rhywun yn dweud fod darn ohonyn nhw'u hunain wedi diflannu. Digwyddodd peth mawr; mae rhywun oedd yn rhan hanfodol o'ch bywyd heb fod yno bellach. Sut y gall bywyd barhau fel pe na bai dim wedi digwydd? Gellir disgwyl gwewyr dwfn iawn pan fydd y farwolaeth yn sydyn neu'n anamserol. Mae colli plentyn yn brofiad dirdynnol wrth gwrs, a hunanladdiad yn arbennig o anodd i ddygymod ag ef.

Does dim osgoi'r poen. Mae galaru yn naturiol, ac yn angenrheidiol. Mae'n digwydd er mwyn ein galluogi i ddod i delerau â'r golled. Proses ydyw, nid cyflwr. Yn ystod y galaru mae gwaith pendant i'w wneud. Nid mater o ddod dros y galar ydyw, ond o ddod drwyddo. Ddewch chi ddim drosto, a chydio yn eich bywyd eto fel pe na bai dim wedi digwydd.

Bydd yn rhaid dilyn ffordd heb ei mapio, achos mae pob galar yn wahanol. Mae gwahanol gamau i'w dilyn, ond nid mewn ffordd daclus drwy symud ymlaen yn lân a chlir o'r naill i'r llall; bydd y ffin rhyngddynt yn amhendant.

Tasg y rhai sy'n helpu galarwyr ydy sefyll gyda nhw: nid i gael gwared â'r galar; nid i ddarparu atebion parod. Y gamp ydy bod gyda nhw, yn ceisio deall sut y mae hi arnyn nhw, yn gwrando am eu hofnau a'u gobeithion a'u poen. Camgymeriad mawr yw ceisio osgoi galar. Rhaid gweithio drwyddo. Gwyn eich byd os cewch un neu ddau ddaw yn ddigon agos i rannu eich poen a'ch helpu i ddod i delerau â'r golled, ac i ailafael yn eich bywyd.

Gan sylweddoli nad ydynt yn dilyn ei gilydd yn daclus, dyma'r pedwar cam y mae William Worden yn barnu sy'n arferol er mwyn sicrhau galar effeithiol.

Derbyn y farwolaeth

Hyd yn oed pan ddisgwylir marwolaeth rhywun agos mae'n sioc pan fydd yn digwydd. Mae'n afreal, mae'n anodd credu. Mae'r teimlad hwn o fod wedi eich parlysu yn eich amddiffyn rhag rhywfaint o fin y golled.

Pan fydd perthynas rhyngoch â rhywun annwyl oedd yn rhan fawr o'ch bywyd wedi'i thorri, mae'r golled yn llethol. Caiff yr hiraeth ei fynegi'n finiog mewn marwnadau yn llenyddiaethau'r byd – yn y Beibl a chan feirdd yr oesau. Drosodd a throsodd dywedir fod fy myd dedwydd gynt wedi dod i ben, ac nad oes dim all ei adfer. Mae Tudur Aled yn mynegi'r profiad yn groyw:

> Os marw bun, oes mwy o'r byd?
> Mae'r haf wedi marw hefyd.

Yn aml iawn bydd llawer o wylo. Cyffredin hefyd yw dweud beth ddigwyddodd drosodd a throsodd wrth ymwelwyr; mae cael caniatâd i wneud hynny yn gymwynas, yn helpu pob cornel ohonoch chi eich hun i wybod beth sydd wedi digwydd.

Rydych yn gwybod, ond mae darnau ohonoch heb wybod eto. Gall hynny barhau am gyfnod hir. Bydd rhywbeth wedi digwydd, a fflach yn mynd drwy eich meddwl, 'Rhaid i mi gofio dweud wrthi!' Gallwch ymddwyn fel pe bai'r ymadawedig ar goll, fel y mae Robert ap Gwilym Ddu yn ei wneud yn ei englyn ar ôl colli ei ferch Elizabeth yn 17 oed.

> Ymholais, crwydrais mewn cri – och alar
> Hir chwiliais amdani,
> Chwilio'r celloedd oedd eiddi,
> A chwilio heb ei chael hi.

Bydd rhai galarwyr yn gweld eu câr mewn rhith a hynny'n aml yn dod â rhyw lonyddwch iddynt.

Gall gweld y corff fod yn help i ddod â'r neges adre, yn enwedig yn dilyn marwolaeth sydyn. Ac wrth gwrs mae cynnal angladd yn bwysig. Mae angen cydnabod yn gyhoeddus werth a chyfraniad yr ymadawedig i'r teulu, a'r ffrindiau, ac yn ehangach. Gall wynebu'r angladd fod yn ddychryn mawr, ond ar yr un pryd mae'n therapiwtig dros ben. I bobl ffydd, bydd yr oedfa(on) yn gysur cadarn. Bu tuedd i rwystro plant rhag mynychu angladd, i'w hamddiffyn, ond dylid caniatáu iddynt fod yn bresennol os dyna'u dymuniad. Bydd hynny'n help iddynt hwythau alaru.

Fel arfer bydd llawer yn galw yn y cartref, a bydd hynny'n gymorth. Hefyd bydd cardiau, ac ambell lythyr. Mae eu derbyn yn help, yn enwedig y rhai sy'n dod o'r galon ac yn cyfeirio at atgof da o'r ymadawedig.

Profi poen galar

Bydd rhai'n cydnabod na fyddant yn gwybod sut i drafod y galarwr, heb wybod beth i'w wneud na'i ddweud, a byddant yn ymddwyn fel pe na bai dim wedi digwydd. Bydd eraill wedi ceisio helpu, ond wedi gwneud y sefyllfa'n waeth; byddant wedi estyn cyngor neu raffu ystrydebau. Mae'n bwysig fod gan y galarwyr un neu ddau sy'n gwrando ar y teimladau. Os bydd teimladau'n cael eu cuddio y mae peryg iddynt barhau'n faich yn hwy – a hyd yn oed droi'n iselder.

Diben bod ar gael i'r galarwr yw ei helpu i weld ei sefyllfa'n gliriach, o'i safbwynt ei hun. Fedr neb gario'r poen yn ei le, ond mae modd helpu i'w ddwyn i'r wyneb ac felly i ddelio ag ef. Y gamp yw medru aros gyda'r galarwr, caniatáu seibiannau yn y sgwrs, gadael iddo ddweud am ei ing, peidio â phrysuro i siarad, peidio ag estyn 'cysur'. Mae cyfeirio at bethau y tybiwch eu bod yn goleuo'r sefyllfa yn gwneud mwy o ddrwg nag o les, pethau fel 'mi allai fod yn waeth' neu 'amser sydd eisiau'. Y neges mewn dweud felly yw na fedrwch chi aros gyda nhw yn eu tywyllwch. Pwrpas dweud peth felly yw i'ch amddiffyn chi eich hun!

Tebyg mai ymgais i'ch amddiffyn eich hun fyddai troi'r stori hefyd, er i chi feddwl mai eich cymhelliad yw arbed poen i'r hiraethus. Anodd gorbwysleisio mai'r gymwynas fwyaf yw medru aros gyda dioddefydd yn ei boen. Mae cael rhywun sydd â chlust i rannu eich baich yn waredigaeth. Bod yn barod i wrando ydy'r ateb, a gwrando'n dda ac ymateb yn gynnil fel bod y galarwr yn medru codi mwy o'i deimladau i'r golwg. Y galarwr sydd i fod yn y canol. Ddylid mo'i orfodi i ddilyn llwybr yn erbyn ei ewyllys – efallai, os yn briodol, y gellir dilyn y trywydd hwnnw yn nes ymlaen rywbryd. Dydy'r atebion ddim gan y gwrandäwr, fedr e byth ddweud, 'Rwy'n gwybod yn union sut rydych yn teimlo', achos mae pawb yn wahanol a phob sefyllfa'n wahanol. Mae dyddiadau ac achlysuron yn gallu bod yn anodd iawn hefyd, yn eu tro: y Nadolig, dathliadau teuluol, penblwyddi ac ati. Ac mae pen-blwydd y farwolaeth, y dyddiad ac, yn fwy fyth, y diwrnod, yn gallu bod yn boenus iawn, a gall ymweld â'r galarus bryd hynny fod yn werthfawr iawn iddo.

Profiad cyffredin ydy gweld yr hiraethus yn crïo, ac yn cael trafferth i ddweud ei stori. Ddylid mo'i rwystro. Canwaith gwell dweud, 'mae'n rhaid ei bod hi'n boenus iawn arnoch chi, cymerwch ddigon o amser', na dweud 'mi estynnaf i hances i chi i chi gael stopio llefain'.

Gall teimladau annymunol i'r galarwr fod yn broblem sylweddol iddo. Efallai y bydd cyfnodau pan fydd yn teimlo'i fod yn colli gafael arno'i hun yn llwyr. Mae gwybod eu bod yn deimladau normal, sy'n poeni pobl eraill hefyd, yn medru bod yn gysur.

Pryder yw un o'r rheini, a hynny'n golygu nerfusrwydd, neu fethu â chanolbwyntio, neu fod yn ansicr ynghylch y pethau symlaf. Mae rhyw gadernid mawr wedi'i golli, ac yn ei le daw teimlad o bryder. 'No one ever told me that grief felt so like fear,' meddai C S Lewis yn *A Grief Observed*.

Peth arall sy'n achosi gofid ydy euogrwydd, 'Pam y gwnes i hynny? Pam na wnes i hynny?' Cofiaf weddw yn dweud wrthyf flynyddoedd ar ôl marwolaeth ei gŵr, 'Fe ffeindiwch chi bethe i fod yn euog yn eu cylch'. Pan fydd hynny'n codi, mae'n bwysig ei ddilyn, nid twt-twtian. Gellir gofyn, os barnwch efallai fod yr euogrwydd yn ddi-alw amdano, 'ydych chi'n siŵr eich bod chi'n deg â chi'ch hunan?' Fe all euogrwydd fod â sail iddo, wrth gwrs, a does dim modd ei wadu. Mae ei dynnu i'r golwg yn debyg o fod yn help i ddelio ag ef.

Profiad annymunol arall yw bod yn ddig. Mae beth sydd wedi digwydd yn gwbl annheg ym marn y galarwr, ac mae'n teimlo'n chwerw. Bydd yn chwilio am rywun i'w feio: y doctor efallai, neu'r teulu/ffrindiau agosaf, neu Dduw ei hun (yn nhraddodiad Job a Jeremeia a'r Salmau). Cam gwag fyddai dadlau yn erbyn hynny; estyn cyfle i ymhelaethu fyddai orau ac mae'n bosib ryw ddydd y doir i weld fod y beio yn afresymol. Cofier fod yr ysgrythurau'n dangos fod dicter yn gallu bod yn gadarnhaol, a bod llawer o sôn am Dduw ei hun yn ddig. Nid dicter sydd am y pegwn â chariad, ond casineb. Ac mae Martin Luther King hefyd yn llygad ei le wrth ddweud mai'r hyn sy'n gwbl groes i ddicter ydy difrawder. Llyfr ardderchog yw *The Gospel of Anger* gan Alastair Campbell, llyfr sy'n trafod y pwnc yn drwyadl o safbwynt Cristnogol. Cofiwch, gall dicter fod yn arwydd o gariad.

Wrth i ni estyn help llaw, nid yw'n ddim o'n busnes ni i geisio setlo'r cwbl. Rhaid i'r dioddefydd ganfod ei ffordd ei hun drwy'r dryswch at ddatrys sy'n synhwyrol iddo ef.

Addasu i'r golled

Temtir rhywun weithiau i wneud newidiadau dramatig yn sgîl y golled; i ymddiswyddo neu i fudo, er enghraifft. Dyw hynny, byth braidd, yn syniad da. Pwyllo sydd orau, a gadael i bethau aros fel y maen nhw am gyfnod er mwyn medru gwneud penderfyniad synhwyrol.

Bydd rhai trefniadau ymarferol y bydd yn rhaid delio â nhw yn eithaf buan, yn enwedig yn dilyn colli partner; pethau fel gofal am y plant, gofal am y tŷ, dysgu gyrru car ac ati. Mae addasu i sefyllfa newydd yn cymryd amser: delio ag arian ar eich pen eich hun, dod adre i dŷ gwag. Ym mhob profedigaeth nid yw'n eglur ar unwaith beth yw holl oblygiadau'r golled. Fe gymer beth amser, er enghraifft, i sylweddoli nad yw'r mân bethau y byddech yn eu rhannu â'ch gŵr o ddim pwys i neb arall. Dyw'r un sy'n dal yn fyw ddim fel rheol yn ymwybodol o bob dibyniaeth a fu gynt ar yr un fu farw. Fydd pobl ddim yn eu helpu eu hunain wrth fethu ag wynebu'r sefyllfa newydd a bod yn ymarferol. Gwneud y sefyllfa'n waeth wna'r ychydig sy'n cau eu hunain oddi wrth realiti.

Cartrefu mewn byd gwahanol

Os oedd y berthynas a gollwyd yn dynn a chariadus, fydd dim modd symud ymlaen fel pe na bai wedi bod, fel pe gallech anghofio a symud rywle arall. Mae parodrwydd yr un sy'n goroesi i dderbyn y sefyllfa newydd yn golygu canfod lle yn eich cof a'ch calon i'r un a fu farw – lle pwysig, ond lle sy'n caniatáu rhyw ryddid, ac o bosib, le i eraill. Da ydy clywed pobl yn dweud 'Rydw i wedi dechrau cael blas ar ambell i beth eto. Mi wn i na ddof i byth dros golli Bob, a bydd yn fy meddwl weddill fy nyddiau, ond mae bywyd yn gorfod mynd yn ei flaen, ac fe wn i y byddai Bob am i mi wneud y gorau ohoni.' Cafodd merch ifanc anhawster mawr iawn i ddod i delerau â cholli ei thad, ond ddwy flynedd yn ddiweddarach ysgrifennodd at ei mam o'r coleg, 'Mae pobl eraill i'w caru, a dyw hynny ddim yn golygu mod i'n caru Dad ddim llai'.

Mae galaru yn cymryd amser, mae'n broses hir, a hyd yn oed wedyn, ar ôl cyrraedd y fan lle gallwch gofio'r ymadawedig heb boen, bydd rhai dyddiau anodd.

Mewn un ystyr gall galaru gael ei gyflawni wrth i bobl ailafael mewn diddordebau a theimlo'n fwy gobeithiol a chael blas ar bethau eto. Mewn ystyr arall dyw galaru byth yn darfod: ddaw neb na dim i gymryd lle'r un a gollwyd; roedd y berthynas yn rhy werthfawr i hynny allu digwydd.

Pan ddewch drwyddi, bydd rhywbeth, gobeithio, wedi'i ennill; byddwch yn gryfach, llawnach person. Er i hynny fod yn ormod o bris yn eich golwg, fe fu rhyw gynnydd. Fel y dywedodd W.E. Sangster, un o bregethwyr mawr y Saeson, 'O bob gwastraff yn y byd, y tristaf ydy gwastraffu galar: talu'r holl bris yna, heb ennill dim!'

YMARFERION

1. Rydych wedi galw i weld gwraig weddw wythnos ar ôl angladd ei gŵr. Cyn ymadael, rydych chi'n dweud:

a. Fe allai fod yn waeth.

b. Wna i ddim gadael nes eich bod chi'n gwenu.

c. Bendith arnoch chi yn ystod y cyfnod anodd yma.

2. Adroddwch wrth y grŵp am y profiad poenus o golli rhywbeth.

3. Rydych chi'n galw gyda gŵr dridiau ar ôl i'w wraig farw. Does dim dagrau yn y golwg. Sut y dangoswch eich consyrn?
a. Gofyn 'Pam na wnewch chi grïo?'
b. Dweud: 'Mae hi'n amser poenus iawn arnoch chi, on'd yw hi?'

4. Sut y gall dicter fod yn arwydd o gariad? Nodwch enghreifftiau o Dduw yn ddig
a. yn y Beibl
b. heddiw.

YMWELD

‘Ddysgodd Iesu ddim erioed sut i atal ei gariad.’*John V Taylor*

Braint fawr ydy cael mynediad i gartrefi pobl. Bydd y rhan fwyaf yn falch o’n gweld ac yn awyddus i gynnig paned yn arwydd o’u croeso. Mae’r weithred syml o alw heibio ynddi’i hun, cyn bod dim yn cael ei ddweud, yn debyg o godi ysbryd y derbynnydd. Rydym yn gosod rhyw fri arnynt wrth roi o’n hamser a’i roi yn llwyr iddyn nhw. Pan fo hynny’n bosib, dylid osgoi galw ar y ffordd i rywle arall erbyn rhyw amser penodol: gall rhywbeth na wyddech amdano ymlaen llaw godi a pheri fod angen i chi dreulio mwy o amser yno nag yr oeddech wedi’i ragweld. Wnewch chi ddim aros yn rhy hir ond wnewch chi ddim rhoi’r argraff eich bod ar frys i adael chwaith, a bod pethau eraill pwysicach yn galw.

Os ydych yn weinidog neu’n aelod o dîm ymweld, mae’n debyg y byddwch yn anelu at alw yn y cartrefi sydd ar eich rhestr yn rheolaidd bob hyn a hyn. Byddai rhai’n dadlau mai gwastraffu amser ydy ymweld â phobl heb fod rheswm penodol dros wneud. Y gwir ydy bod galwad felly nid yn unig yn weithred garedig ynddi’i hun, mae hi hefyd yn gyfle i chi ddod i nabod pobl ac iddyn nhwythau ddod i ymddiried ynoch chi, a bydd hi’n haws wedyn pan fydd rhywbeth penodol yn galw.

Gellir siarad am bopeth dan haul, ac fel arfer bydd gan bobl eu stori y maent am i chi ei chlywed. Felly y dowch i’w nabod a gweld beth sy’n cyfri iddyn nhw. Weithiau bydd holi am y capel a sut mae hwn a hon. A dyna ni’n ddolen rhyngddyn nhw â’r aelodau. Rhaid gwneud yn siŵr wrth gwrs nad oes unrhyw gyfrinachau’n cael eu datgelu, am fod hynny’n anghywir ynddo’i hun ac yn ein gwneud yn rhai na ellir ymddiried ynom yn eu llygaid hwy. Daw cyfle weithiau i droi'r sgwrs i gyfeiriad pethau'r ffydd: 'Beth sy'n bwysig i chi?' a phethau'r capel: codi cwestiynau fel 'Beth sydd orau gennych yn yr eglwys?', 'Beth sy ddim cystal?', 'Beth hoffech chi ei weld yn newid?'. Os oes pynciau'n dod i'r wyneb yn aml, bydd angen trafodaeth agored arnynt yn yr eglwys yn y man. Diflas ydy bod materion yn cael eu codi'n gyson a neb yn cymryd sylw.

Gweithgarwch braf, i'w fwynhau, ac un gwerthfawr hefyd, ydy ymweld â phobl yn eu cartrefi, a gweld y byd drwy eu llygaid nhw. 'Cyn y gelli di fod o wasanaeth i'r bobl yma,' meddai Duw wrth Eseciel, 'rhaid i ti eistedd lle'r eisteddant hwy'. Os oes cyfrifoldeb swyddogol gennych fel ymwelydd ar ran yr eglwys, byddwch yn ymwybodol fod llawer o fugeilio answyddogol yn digwydd hefyd. Mae'r rhan fwyaf o waith gofalu yn cael ei gyflawni gan ffrindiau a chymdogion a theulu. Dylid anelu at ddelio â phawb yr un fath o ran yr amser a roir iddynt. Dyw hynny ddim yn golygu eich bod yn treulio yr un faint o amser gyda phawb. I'r gwrthwyneb, ble mae'r angen fwya y bydd y galwadau amla. O wyro oddi wrth y "tegwch" hwn rhodder mwy o amser i'r distadl, y rheini nad oes iddynt fawr o safle na statws; byddai'r Meistr yn cymeradwyo.

Dyw galw pan fo taro ddim yn bosib wastad a bydd ffordd arall yn ddigonol ar adegau – galwad ffôn, neges destun, e-bost, neu lythyr henffasiwn. Ffyrdd eraill, derbyniol yn aml, ydy'r rhain; maen nhw'n cyfleu consyrn a gofal, ond wnân nhw ddim mo'r tro yn lle ymweliad wastad.

Profiad sy'n dod i ran llawer yw teimlo fod rhywun yn mynnu lle yn eich meddwl ar ddiwrnod arbennig, er na fu gair nac arwydd fod dim byd o'i le. Ar adegau fel hyn, mae'n werth cysylltu â'r person yn ddigymell oherwydd mae'n bosib iawn y bydd hwnnw'n falch iawn eich bod wedi mynd i'r drafferth o wneud.

Y cam cyntaf felly, ac un pwysig, ydy rhoi sylw i bobl, dangos eu bod yn cyfri, i ni, i'r eglwys, i Dduw. Mae cael rhyw fesur o adnabod, rhyw lefel o berthynas, yn gwneud y cam nesa, os bydd un, yn haws. Daw pob math o golledion i'n blino ar ein taith, colli gwaith, colli golwg, colli breuddwyd, colli câr, colli plentyn; gwyn ein byd os bydd gennym un neu ddau bryd hynny, sy'n fodlon i ni dywallt ein helbulon ar eu pennau. Fydd dadlwytho'r baich ddim yn golygu medru ei drosglwyddo, ond bydd y mymryn lleiaf yn ysgafnach o'i rannu. Nid mater bach ydy clywed chwaith; bydd y gwrandäwr yn amsugno rhywfaint o'r poen, a baich y dioddefwr gymaint â hynny'n ysgafnach.

Y gymwynas fwyaf ydy llwyddo i wrando, heb ddweud wrth y dadlwythwr beth i'w wneud na sut y dylai deimlo. Dydy mân-siarad yn werth dim chwaith mewn argyfwng. Gall y cymhelliad i wneud hynny fod yn ddigon dilys – tynnu sylw'r dioddefydd, ei helpu i deimlo'n well, drwy ei symud at rywbeth heblaw ei hun. Mae hynny'n iawn weithiau ond nid mewn lle cyfyng, lle nad yw'n ddim ond dianc rhag mynd i mewn i'w sefyllfa, crafu'r wyneb yn lle mynd yn ddwfn, lle mae'r poen mwyaf. Fydd dim yn helpu mwy ar y dioddefydd na chael dweud sut y mae pethau. Pam na chaiff wneud gennym? Nid am fod hynny'n well iddo fe, ond er budd y cynorthwy-ydd sy'n ofni mynd i'r fan honno achos bod hynny'n rhy fygythiol, yn hawlio gormod. Yn y pen draw, y ffydd yw ein hadnodd pennaf, gwybod nad oes dim byd yn y diwedd, pa mor dywyll bynnag y bo, yn gallu ein gwahanu oddi wrth gariad Duw.

Dydy pobl ddim yn teimlo eu bod yn cyfri pan na chânt eu gwrando, neu pan nad ydyn nhw'n siŵr eu bod yn cael eu clywed. Bydd y gwrandäwr effeithiol yn gwrando â'i lygaid ac â'i galon yn ogystal â'i glustiau; bydd yn gwrando am beth na ddywedir, ac yn gysurus gyda thawelwch. Daw ein teimladau i'r golwg weithiau ar ein gwaethaf ni, heb i ni fwriadu hynny, wrth i ni gau dwrn efallai, neu godi llais. Y gobaith yw medru gwrando fel bod y person ofnus yn gallu dod yn nes at y rhannau ynddo sy'n ei ddychryn. Rhaid gwrando mor astud fyth ag y gallwn. Dweud yr ydym felly ein bod yma er dy fwyn *di*, ac am glywed amdanat *ti*, beth ddigwyddodd i *ti*, a sut rwyt *ti*'n teimlo. Mae hyn mor bwysig fel nad ydw i ddim am golli dim. Pa ffordd ragorach sydd i ddatgan gwerth person arall?

Mae dweud dy stori wrth rywun arall yn aml yn ei goleuo i ti dy hun. Yn aml iawn mae gwrando'n daer yn ddigon. Ac mae'n waith lladdgar. Cofier hefyd nad yw'n dderbyniol i fynnu fod y llall yn siarad. Yr un sydd angen help sydd i lywio. A chael llonydd ydy'r dymuniad pennaf weithiau.

Gall afiechyd difrifol neu argyfwng mawr arall ein gorfodi i wynebu rhai o gwestiynau mawr bywyd, ac i holi'n hunain beth sydd yn ein bywyd y gallwn eu hepgor yn rhwydd, a beth sy'n bwysig i ni mewn gwirionedd. Gall dioddef, yn hytrach na'n peryglu a'n dinistrio ni, fod yn gyfrwng i'n cryfhau a'n cyfoethogi. Weithiau bydd pris dychrynllyd i'w dalu, a ninnau heb gael dewis yn ei gylch, heblaw bod profiad chwerw'r tân wedi rhoi rhyw ddur ynom.

Fe gofiwn hefyd nad yw'r gofalydd/ymwelydd yn cymryd rhan yn y gwaith heb gael ei gyffwrdd, ac os yw'n gwneud ei waith yn dda, fe gaiff ei newid er gwell. Mae'n broses ddwyffordd: mae'r ddau'n rhoi a'r ddau'n derbyn. Mae'r gofalydd ar ei ennill hefyd. Gall yr un y gofelir amdano/amdani fod yn gryfach na'r un iach, yr un sydd i fod i ddarparu gofal. Nid anghyffredin yw i'r claf ganfod dewrder i wneud trefniadau i hwyluso bywyd gŵr/gwraig, plant, rhieni, ar gyfer yr amser pan na fydd yno. Oes, mae pryder yn ei gylch ei hun, ond mae pryder am eraill yn ogystal.

Mae'r cwestiynau oesol, 'Pam y mae cymaint o ddioddef, a chymaint o boen, a chymaint ohono mor annheg i'n golwg ni?', y tu hwnt i ni. Gwyddom fod ein Harglwydd 'yn gynefin â dolur' ac wedi profi'r tywyllwch eithaf, a'i fod gyda ni o hyd yn ei ganol. Profiad eithaf cyffredin yw bod Duw yn arbennig o agos wrth wely'r claf.

Bydd yr argyfwng yn gwneud ambell un yn ddig iawn, yn anfodlon iawn ar beth sy'n digwydd. Adwaith digon cyffredin ydy holi 'Pam fod hyn yn digwydd i mi/i fy nheulu i. Wnaethon ni ddim drwg i neb erioed.' Weithiau cyfeirir y dicter at Dduw, neu'r doctor, neu rywun agos. Digon cyffredin ydy ymddwyn yn gas at y perthynas agosaf, a'r isymwybod yn deall y gellir ymosod arnyn nhw heb eu colli. Felly caiff dicter ffrwydro i'r wyneb.

Bydd pobl yn synhwyro'n fuan iawn a oes gennym gydymdeimlad â nhw ai peidio. Os teimlant nad oes, fyddan nhw ddim yn rhannu a chawn ni ddim helpu. Rhaid i ni arfer empathi – rhoi ein hunain yn eu sefyllfa mor llawn ag y gallwn. Mae dweud pethau fel 'ddwetsoch chi mo hynny?' neu 'dydych chi ddim yn teimlo felly?' yn cau'r drws yn glep. Dydy gwrando'n anfeirniadol ddim yn golygu eich bod o raid yn cymeradwyo. Ond fedrwch chi ddim helpu oni bai eich bod yn gallu eich rhoi eich hunan yn eu lle.

Dyweder bod alcoholig, er enghraifft, yn troi atoch am gymorth lle byddai gofyn i chi fod ag empathi. Y peth cyntaf yn y sefyllfa honno yw sylweddoli bod y person yma mewn trap y mae'n anodd iawn dianc ohono. Cam mawr mewn dod yn rhydd ydy bod y claf yn sylweddoli hynny. Mae'n gweld fod y cyffur wedi'i garcharu. Mae'n deall fod meddwi yn ei alluogi i beidio â bod yn fe'i hunan, y fe'i hunan nad yw'n ei hoffi o gwbl. Bydd gofyn dewrder mawr i ddymchwel y *facade*. Wrth wynebu'r sefyllfa a chwilio am iachâd mae'r claf yn gweld ei fod yn gyfrifol am achosi poen a difrod iddo'i hun ac i'w anwyliaid. Fel y dywed cyfeillion yr Ystafell Fyw, 'Mae alcohol yn beth da i gael gwared â ffydd, gobaith, cariad'. Chaiff yr un sy'n trio dod yn rhydd ddim help gan neb sydd heb empathi. Mae'n bosib y gallai alcoholiaeth fod yn fater rhy anodd i chi ddelio ag ef, neu bod rhywun wedi bod yn curo'i wraig, neu'n cam-drin plentyn, rhyw bwnc na allwch ei drafod am ei fod yn corddi eich emosiwn chi yn ormodol. Bydd angen wedyn, gyda chaniatâd y dioddefwr, i drosglwyddo'r mater i sylw rhywun arall.

Mae angen sensitifrwydd arbennig wrth ymweld ag ysbyty. Bydd rhyw ofid, llethol efallai, ynghylch y rheswm dros fod yno. Mae'n rhesymol disgwyl i'r claf ofidio ynghylch ei hunan a'r driniaeth a beth sy'n digwydd nesa. Gall fod pryder am sefyllfaoedd a phobl y mae wedi'u gadael hefyd, gwaith, cartref, teulu. Mae'r ysbyty ei hun, a'i ffordd, yn ddiarth. Caiff y claf ei hun mewn byd gwahanol iawn, ac os yw'n rhannu ward ag eraill, rhaid ymdopi â nhw hefyd, er gwell ac er gwaeth. Y peth diwethaf sydd ei angen arno ydy ymwelydd na all ddianc rhagddo ac sy'n gwneud y sefyllfa'n waeth! Mae'n werth i bob ymwelydd ag ysbyty ddarllen cadwyn hir o gerddi gan Charles Causley dan y teitl 'Ten Types of Hospital Visiting' a'u hastudio'n drylwyr. Mae gwersi i'w dysgu hefyd yng ngherdd Menna Elfyn, 'Ymwelydd' (*Murmur*, Bloodaxe Books) ar sut i *beidio* ag ymweld â rhywrai yn yr ysbyty!

Grŵp arall fydd yn hawlio llawer o amser ydy'r oedrannus. Gall dyddiau fynd heibio yn hanes pensiynwyr heb fod neb yn galw. Gall yr ynysu fod yn llethol; pan gaed hyd i gorff hen wraig ddyddiau lawer ar ôl iddi farw, gwelwyd mai'r unig gofnod yn ei dyddiadur, a hynny bob dydd, oedd 'neb wedi galw heddiw'. Mae'r unig yn teilyngu mwy na 'galw heibio', sy'n awgrymu rhyw bum munud ffwrdd-â-hi. Efallai fod angen cysylltu ymlaen llaw i drefnu amser. Mae angen meddwl ymlaen llaw yn siŵr, a mynd mewn ysbryd cyfeillgar a sensitif. Mae'n bosib y bydd te a theisen wedi'u paratoi ar eich cyfer, ac yn arferol dylid derbyn y cynnig caredig – mae cael rhoi cyn bwysiced â derbyn i lawer.

Y rheol aur ydy cofio wastad bod angen parchu'r un yr ymwelir ag ef. Os nad oes hen berthynas gyfeillgar lle mae arfer ti a thithau wedi'i sefydlu, gwell gwyro tuag at y mwy ffurfiol, Mrs, Miss, Mr,ac ar bob cyfri osgoi cyfarchiad nawddoglyd, 'cariad', 'bach' ac ati.

Fe fydd yn rhaid gwneud ymweliadau anodd am bob math o resymau, ond mae'r dasg yn bleserus mor aml ar yr amod y rhoddir cyfle i bawb ddweud eu stori. Bydd honno'n ddifyr yn aml, ac mae pobl yn ddiddorol; gallwn ninnau ddysgu a thyfu dim ond i ni wrando.

Mae mwy a mwy ohonom yn byw'n hŷn, yn gymaint felly nes ein bod yn mynd yn broblem i'n cynnal, yn ariannol ac fel arall. Wrth i nerth ac iechyd ddirywio, mae'r gofal amdanom yn cynyddu. Darperir llawer o hwnnw mewn ysbytai a chartrefi preswyl, ond perthnasau, yn aml iawn rhai ar eu pen eu hunain, sy'n cario baich y gofal. Does dim un math arbennig o bobl yn cyflawni'r dasg o edrych ar ôl perthynas neu ffrind oedrannus sy'n methu gofalu'n llawn drostyn nhw'u hunain. Pobl gyffredin ydyn nhw: gwŷr, gwragedd, meibion, merched, rhieni, ffrindiau, pobl sy'n bwrw ymlaen â'r gwaith pan fydd rhywun sy'n agos atyn nhw angen gofal naill ai'n raddol neu'n sydyn.

Gall hynny fod am gyfnod byr, neu am flynyddoedd. Mae llawer merch, yn arbennig, wedi rhoi blynyddoedd maith, gorau ei bywyd, i edrych ar ôl rhiant, ar gost drom i'w bywyd ei hunan, ac yn aml wedi medru cyflawni hynny yn llawen a heb surni. Bydd angen gofal arbennig, a chlust arnyn nhw pan ddaw'r blynyddoedd hynny i ben.

Digon cyffredin ydy i'r ddibyniaeth fod yn drwm drwy'r dydd, yn waith llawn amser, ac ar ben hynny yn aml fydd dim llonydd i gysgu'n ddi-dor drwy'r nos chwaith. Gall y gwaith fod yn drwm yn gorfforol, ac yn emosiynol, gydag angen am amynedd mawr wrth ateb yr un cwestiwn dro ar ôl tro. Prin ydy'r gefnogaeth gan aelodau eraill y teulu a ffrindiau yn aml. Disgwylir i'r un person, ar ei phen ei hun, wneud y gwaith y byddai dwy neu fwy yn ei gyflawni mewn ysbyty neu gartref nyrsio. Baich ychwanegol ar ysgwyddau rhiant sy'n gofalu am blentyn anabl dros y blynyddoedd ydy'r gofid parhaus, 'Beth ddaw ohoni/ohono ar ôl fy nyddiau i?'

Does dim rhyfedd bod y gofalydd yn dod i ben ei dennyn weithiau – gofal diddiolch, unig, a neb yn gwerthfawrogi. Mae'r gallu i ddal ati yn diffodd, mae'r tanc tanwydd yn wag, wrth i'r gofalydd lwyr ymlâdd a mynd i fethu cysgu. All neb roi o hyd ac o hyd heb dderbyn o rywle eu hunain. Dydyn nhw ddim wedi'u hyfforddi'n benodol mewn nyrsio na gofalu, ac eto rhaid cario cyfrifoldeb nyrsio bedair awr ar hugain y dydd, bob dydd, heb help o gwbl yn aml. Mae'r tynnu sydd ar eu hemosiwn yn ychwanegu at y baich. Ac oherwydd fod cymaint o bobl yn byw'n hŷn, gall y gofalwyr hefyd fod yn oedrannus a heb yr un egni â chynt. Bydd y rhan fwyaf yn bobl garedig wrth natur; y pwysau parhaol, didostur ydy'r broblem.

O raid, daw rhyw boen yn sgil gofalu am berthynas agos: bydd hiraeth am y person iau, a chofio'r ddyled am gariad a gofal.

Bydd galar personol yn rhan o'r pecyn cyfan. Yr un pryd, bydd rhai, er ofni'r gwaetha wrth ddechrau, yn darganfod ffydd newydd a hyder ynddyn nhw'u hunain wrth iddyn nhw lwyddo yn eu tasg. Dydyn nhw ddim ar goll, maen nhw'n ymdopi. Daw bodlonrwydd yn sgîl hynny.

Mae sawl mudiad gwirfoddol wedi rhoi sêl eu bendith ar gynllun deg pwynt i gynnal gwirfoddolwyr yn eu gwaith;

- ❖ Cydnabod eu cyfraniad a'u hanghenion hwythau
- ❖ Gwasanaethau wedi'u cynllunio ar gyfer y sefyllfa arbennig
- ❖ Gwasanaethau sy'n gydnaws â chefndir crefyddol a diwylliannol neilltuol – fel defnyddio'r Gymraeg
- ❖ Cyfleoedd i fod yn rhydd, am ychydig oriau / am rai dyddiau
- ❖ Cymorth ymarferol: newidiadau i'r tŷ, offer cynorthwyol, glanhau
- ❖ Rhywrai i drafod y sefyllfa o'u safbwynt hwythau
- ❖ Gwybodaeth am y gwasanaethau a'r cymorth sydd ar gael
- ❖ Incwm digonol, fel nad oes pryder ariannol ar ben popeth arall
- ❖ Cyfle i ystyried opsiynau gofal gwahanol

- ❖ Gwasanaethau sydd yn eu lle yn dilyn trafod â'r gofalydd

Er i un gario baich y gofal, mae'n llesol bod eraill yn cael cyfle i helpu, yn ymarferol ac yn emosiynol – teulu ehangach, cymdogion, yr eglwys – rhwydwaith o bobl sy'n sicrhau nad oes neb yn cael eu hanghofio. Cymwynas fawr mewn llawer achos fyddai i eglwys drefnu fod rhywun yn mynd i gadw cwmni tra bod y gofalydd yn cael ychydig oriau neu ddiwrnod cyfan i fynd am dro i fod yn rhydd o gyfrifoldeb am dipyn a chael newid meddwl.

Ym mhob math o ymweld, mater sy'n mynd i godi'n gyson ydy gweddi. Y peth pwysicaf ydy bod yr ymweliad wedi'i lapio mewn gweddi: cyn i chi fel ymwelydd fynd i'r tŷ; yn dawel yn ystod yr ymweliad wrth gyflwyno'r person a'r sefyllfa i Dduw; ac eto wrth ymadael. Y demtasiwn ydy gweddïo'n beiriannol, doed a ddelo, gyda'r cymhelliad cudd o wneud i minnau deimlo'n well, teimlo fy mod innau'n gwneud fy ngwaith. Mae adegau pan gewch eich arwain i weld fod gweddi fer ar lafar yn gymorth, ac weithiau mae'n briodol gofyn a hoffai'r ymwelai rannu gweddi. Os ydy hynny'n digwydd, dylai fod yn rhan gynhenid o'r ymweliad, nid yn rhywbeth wedi'i atodi ar y diwedd. Ac wrth gwrs, rydych yn gweddïo nid ar ran ond gyda, a hynny'n gynnes, heb ystrydebau. Ac wedyn, mae'r weddi sy'n ddyfnach na geiriau. Meddai un o gymeriadau'r nofelydd Morris West wrth ymweld â'i ffrind mawr oedd wedi cael damwain ddifrifol, 'Does dim angen geiriau arnat ti a fi: gad i mi roi fy llaw ar dy law di a gweddïo dros y ddau ohonon ni.'

Fedr neb gyflawni gwaith bugeilio'n effeithiol heb gael ei dynnu i mewn i fyd a helynt y rheiny sydd yn ei chanol hi. Mae gweithio gyda phobl sy'n sâl, neu rai sydd wedi'u clwyfo, o raid yn golygu straen ar yr un sy'n ceisio helpu. Mae'r gofyn am gyfrinachedd yn un o'r ffactorau sy'n gallu gwneud y gofalwr yn unig. Bydd angen medru rhannu bob hyn a hyn rywfaint o'r pwysau gydag aelod o'r teulu neu ffrind agos.

Bydd angen hefyd medru ymwrthod â chario gormod o faich. Yn aml iawn bydd y gofalydd yn teimlo cyfrifoldeb i estyn cymorth ac, o ran natur, yn awyddus i helpu. Efallai hefyd y bydd y cynorthwyo'n rhoi gwerth arno yntau wrth iddo deimlo'i fod yn cael ei werthfawrogi. Gall ei anghenion a'i ddiddordebau ei hun gael eu haberthu yn sgîl maint y gofal, a gall hynny yn ei dro roi straen ar briodas a bywyd teulu. Mae gofyn i'r gofalydd ei barchu ei hunan, a chofio gorchymyn Iesu i garu 'dy gymydog fel ti dy hun'. Mae cariad cywir atom ein hunain, ac arfer parch atom ein hunain, yn ein gosod yn rhydd i garu ein cymydog yn llawnach. Os llosgi dau ben y gannwyll fyddwn ni, faint o werth fydd i'n gwasanaeth?

Ddylai bugeilio da ddim troi yn fath o ferthyrdod, er ein mwyn ein hunain a'r rhai sy'n agos atom, ond hefyd er mwyn y rhai rydym yn awyddus i ofalu amdanynt. Bydd gorflino yn ein gwneud yn llai effeithiol. Gall ein hysbrydoledd sychu oherwydd bod gormod o bobl â gormod o afael arnom. Mae angen i ni ddysgu sut i arafu a gwrando ar iaith tawelwch. Haws dweud na gwneud ydy hi yn hanes llawer ohonom, ond mae'n wers bwysig. Y gamp ydy canfod y cydbwysedd priodol, gweld dau begwn ar yr un pryd – rhaid i mi roi fy nghyfan yn y gwaith hwn ar y naill law, ac ar y llall, Duw sy'n derbyn y cyfrifoldeb yn y diwedd. Mae cwpled T.S. Eliot yn dal y gyfrinach

> Teach us to care and not to care,
> Teach us to sit still.

Bydd achlysuron yn codi pan fydd llawer ohonom sy'n ofalwyr yn teimlo'n wan, yn annigonol ac yn fregus – yn fwy anghennus na'r rheiny rydym i fod i'w helpu! Yr unig berthynas real rhwng y gofalydd a'r un sy'n derbyn y gofal yw i'r gofalydd fod yn ddiamddiffyn. Mae rhywbeth o'i le arnom os na theimlwn yn gwbl ddi-fudd wyneb yn wyneb â phoen rhywun arall. Y gwir ydy ein *bod* ni'n ddi-fudd. Does dim y gallwn ei ddweud na'i wneud fydd yn dileu'r poen. Rydw i'n gwbl annigonol. Efallai mai dyna pryd rydw i ar fy ngorau. Cofier mai pan ymddangosodd Duw yn ein plith yn fwyaf analluog yr oedd mewn gwirionedd ar ei gryfaf. 'Digon i ti fy ngras i; mewn gwendid y daw fy nerth i'w anterth.' (2 Cor 12:9)

YMARFERION

1. A oes sefyllfaoedd fyddai'n rhy anodd i chi ddelio â nhw?
a. yn emosiynol.
b. yn ymarferol.

2. Yn y gerdd 'Ten Types of Hospital Visiting', ble y gwelwch chi eich hun?

3. Ymweld â rhywun mewn hosbis a dweud:
a. beth sy'n bod arnoch chi?
b. mi fyddwch yn teimlo'n well pan fydd y tywydd yn gwella.

4. Mae rhywun dall yn dweud wrthych 'Peth ofnadwy ydy bod yn ddall'. Pa ateb sydd orau?
a. Fe fyddai'n well gen i fod yn ddall na byddar.
b. Mae'n rhaid ei fod yn gyflwr ofnadwy.
c. Mae rhai sy'n ddall a byddar cofiwch.

5. Mae gŵr y mae ei wraig newydd farw ar ôl bod yn dost am gyfnod byr yn dweud, 'Fe ddylwn fod wedi aros gartref o'r gwaith wythnos diwethaf i edrych ar ei hôl.' Eich ymateb?
a. Wel, doeddech chi ddim i fod i wybod.
b. Dyna fyddech chi wedi'i wneud petaech chi'n gwybod bod y diwedd mor agos?
c. Ydy hynny'n ofid mawr i chi?

EGLWYS FYWIOG

'Dywed wrth yr Israeliaid am fynd ymlaen.' *Exodus 14 : 15*

Tasai Nain yn dod yn ôl, mi fyddai ar goll. Mae'r byd wedi newid cymaint. 'Beth ydy'r holl beiriannau yma yn y gegin? Ydach chi'n bwriadu mynd i Awstralia, a dod 'nôl o fewn pythefnos?! Pam na allwch chi adael i'r plant fynd i grwydro'r caeau ac i chwarae yn y stryd?' A gwell i rywun fynd i ddangos yr ysgol iddi, a'r ysbyty, a mynd â hi i'r archfarchnad. Mae popeth mor ddiarth. Popeth ond y capel; does dim llawer wedi newid yno. Ar wahân i un peth. 'I ble mae'r gynulleidfa wedi diflannu?'

Yr ychydig oedrannus sydd ar ôl mewn llawer capel. Oes ots? Oes rhywbeth y gellir ei wneud? Ydy hi'n iawn i ni newid pethau? Llifodd y cynulleidfaoedd o'r eglwysi, yn fwy na dim am eu bod yn *bored* medden nhw. Rhaid gofyn y cwestiwn 'Ai gwrthod yr efengyl y maen nhw, ynteu wrthod ein ffordd ni o grefydda?' A oes gennym hawl i newid ein patrymau, ynteu a fyddai hynny'n frad ac yn anffyddlondeb?

Rhybuddiodd R. Tudur Jones, mor bell yn ôl â 1975 yn *Yr Undeb*, mai trasiedi oedd gwahanu crefydd a bywyd. Roedd yn ddatblygiad difaol meddai, er nad yn un diweddar – gwelwyd y duedd honno'n cyflymu mor gynnar â chwarter olaf y bedwaredd ganrif ar bymtheg. 'Yn y byd modern, unwaith yr egyr hollt rhwng y crefyddol a'r seciwlar, y duedd yw i'r crefyddol gael ei ynysu ar ewin o dir sy'n cyson leihau.Mae'r capel yn troi'n deml; y gweinidog yn troi'n Barchedig; Dydd yr Arglwydd yn troi'n Sabbath pan wisgir lifrai arbennig y dillad-dydd-Sul. A thry Cristnogaeth yn weithredu cwltig, yn rhywbeth i'w berfformio yn y deml santaidd,ar y dydd santaidd, mewn dillad santaidd o dan arweiniad y dyn santaidd.'

Weithiau byddwn yn methu â chlywed yr hyn y mae Duw yn ei ddweud wrthym yn awr am ein bod ni'n rhy ffyddlon i'r gorffennol ac wedi ein carcharu ganddo. Ddylid byth caniatáu i ffydd fod yn ffurf ar hiraeth crefyddol. Mae arferion a gyflwynwyd yn gyntaf am resymau pragmataidd, rhai oedd yn cwrdd â'r gofynion ar y pryd, wedi magu arwyddocâd cysegredig, fel petaen nhw wedi'u hordeinio'n dragwyddol gan Dduw ei hun: mae'r meinciau sydd wedi'u hoelio i'r llawr ac sy'n llenwi pob cornel o'r capel, a'r organ, a'r sêt fawr, yn enghreifftiau. Does dim sôn amdanyn nhw yn y Testament Newydd!

Bu'r awdur toreithiog Karen Armstrong yn lleian am ran helaeth o chwe degau'r ganrif ddiwethaf. Fe'i llethwyd yn y diwedd gan y rheolau anystwyth a beichus. Mae'n sôn am arferion nad oedd iddynt werth ysbrydol cynhenid – creiriau diwylliannol o Oes Victoria – a oedd wedi magu arwyddocâd ysbrydol, ac unrhyw sôn am eu newid yn cael ei ystyried yn frad. Fe'u crëwyd hwythau yn eu tro gan ddynion a merched o weledigaeth a dychymyg, pobl oedd yn arloeswyr yn eu cyfnod, nid amddiffynwyr hen drefn. Erbyn hyn, roedd angen i leianod benderfynu beth oedd yn hanfodol, a chyfieithu hwnnw i idiom y dydd. Ond roedden nhw'u hunain wedi'u ffurfio gan yr hen drefn a hynny ar lefel ddofn. I rai, roedd yn gyfnod o wewyr mawr. Gwelent ffordd o fyw oedd yn golygu popeth iddynt yn datgymalu, a dim byd o werth yn dod yn ei lle.

Fe'n lluniwyd ninnau hefyd i raddau gan y drefn a etifeddwyd gennym. Mae ei gweld yn edwino, a'n capel ninnau mewn peryg o ganlyniad, yn loes calon. Cyn meddwl am ddatblygu ffyrdd newydd, mae'n werth cofio fod rhai'n croesawu newid a menter, tra bod eraill wrth natur yn llawer mwy ceidwadol a phob newydd-deb yn brawf arnynt.

Newid sydd raid, serch hynny. Mae hynny'n rhy hwyr i rai eglwysi ysywaeth: mae'r ychydig sy'n weddill yn oedrannus ac wedi rhoi o'u gorau dros y blynyddoedd, a does ynddyn nhw ddim nerth ar ôl i ymegnio. Yn ôl pob golwg, er mai Duw ei hun a ŵyr wrth gwrs, marw fydd yr eglwysi sy'n aros yn eu hunfan.

Er mwyn i fywyd newydd lifo iddynt mae angen i'r eglwysi newid ac addasu i oroesi. Ond mae ein seicoleg yn ein rhwystro. Gwrandewch – nid yn unig mae hawl gennym i newid, mae'n *ddyletswydd* arnom gerbron Duw. Nid newid sy'n anffyddlondeb ond *peidio* â newid.

Duw mentrus sydd gennym, un sydd wastad ar y blaen ac yn galw arnom i ddilyn. Roedd y deuddeg ar antur fawr; wydden nhw byth beth ddigwyddai nesa. Un o brif wersi'r Beibl yw bod Duw o hyd ac o hyd yn gweithredu mewn ffyrdd annisgwyl. Gall fod yn anghyfforddus i ni fyw mewn cyfnod lle mae Duw yn hawlio ein bod yn arloesi, ond gallem hefyd ddiolch am gael byw ar adeg mor gyffrous lle mae cyfle i feithrin agweddau mwy mentrus, a gweld y llanw'n troi, a'r eglwysi'n bywiocáu! Meddai Duw, mae angen i chi newid, cael eich trawsffurfio (Rhufeiniaid 12 : 20) ac mae yntau'n dal ar y blaen (Eseia 43: 19).

Un peth sydd o'r pwys mwyaf yw pa siâp sydd ar ein crefydd. Rhaid cofio mai bywyd ydy diddordeb Duw, nid crefydd. Roedd Almaen y Natsïaid a De Affrica'r system apartheid yn wledydd lle tyrrai cynulleidfaoedd mawrion i'r eglwysi. Dyna Gristnogaeth yn bendithio gwadu cableddus ar y ffydd. Mae rhybudd y Parchg Lewis Valentine yn dal yn amserol, wrth iddo ddisgrifio crefydd gul a chyfyng yr ysgrifenyddion a'r Phariseaid: 'Gwaeth oeddynt ac nid gwell oherwydd eu crefydd; gwell dynion fuasent hebddi; eu crefydd oedd hagrwch mwyaf eu bywyd. Y grefydd a ddylai eu gwneud yn fawrfrydig yn eu gwneud yn gul a checrus. Y grefydd a ddylai eu gwneud yn wŷr hael yn eu gwneud yn grintachlyd. I'r Meistr Mawr, prydferthwch ac nid hagrwch oedd crefydd.' Rhaid gofyn cwestiwn llawer dyfnach na sut mae cael pobl yn ôl i'r capel. Sut mae mynd ati i helpu'r eglwysi i dyfu, i fod yn gymdeithasau a fydd yn cymryd agenda Duw o ddifri? Mae yna eglwysi sydd wedi llwyddo i adael hen rigolau, gan fywiocáu wrth wneud. Gallwn ddysgu gwersi oddi wrth egin eglwysi – eglwysi newydd sbon – hefyd. Cofier bod angen dewrder ar eglwys leol yn ein diwylliant Gorllewinol cyfoes i fentro ar hyd llwybrau newydd. Ond mae'r wobr yn fawr. Tybed ydy hi'n haerllug ynteu'n deg i ddyfynnu Deuteronomium: 'yr wyf yn gosod o'th flaen heddiw fywyd a marwolaeth, dewis dithau fywyd, er mwyn i ti a'th blant fyw.' Mae'n siŵr y dylid cofio hefyd na fu erioed newid o'r gwaeth i'r gwell heb iddo fod yn boenus i rywun.

Mae'n debyg mai'r cam cynta ydy gweld bod angen agwedd newydd. Nid diogelu dyfodol ein capel ni cyhyd ag y gellir, a chadw'r drws ar agor, ydy'r nod. Mae dal i ddilyn yr un patrymau o genhedlaeth i genhedlaeth, a'r rheiny ddim yn gweithio, yn edrych fel ffolineb. Mae rhai am weld datblygiad ond heb fod yn barod i newid dim i hwyluso hynny. Cofiaf ferch ifanc wedi'i phenodi'n weithiwr ieuenctid yn gofyn am gadeiriau cyfforddus yn y festri yn lle'r hen feinciau pren a haearn oedd yno, a chael yr ateb, 'Ddim o gwbl, eich tasg chi ydy cael pobl ifanc i mewn yma, nid newid y celfi'.

Rhan hanfodol o'r newid agwedd ydy deall ar lefel ddofn mai'r aelodau ydy'r eglwys. Nhw gyda'i gilydd ydy corff Crist yn y fan a'r lle. Nid y gweinidog a'r diaconiaid/blaenoriaid, ond yr eglwys gyfan, y bobl i gyd, sy'n atebol i Dduw. Mae'r rhan fwyaf o'n haelodau sydd wedi cyrraedd yr oedfa wedi arfer dod i dderbyn y ddarpariaeth mae eraill wedi'i pharatoi. Sut mae tynnu pawb sy'n fodlon gwneud hynny i ganol y gweithgarwch?

Vivian Jones oedd prif awdur pamffledi a gyhoeddwyd gan Undeb yr Annibynwyr Cymraeg rai blynyddoedd yn ôl, *Ein Hargyfwng Ein Cyfle* a *Camu Ymlaen*. Maent yn llawn o awgrymiadau cwbl ymarferol. Fe'n hanogir ynddynt i ddechrau gyda chwrdd eglwys wedi'i alw'n benodol i ystyried 'Dyfodol ein heglwys'. Mae'n werth ei gynnal ar noson yn yr wythnos am ddwy awr, cynllunio'n ofalus ar ei gyfer, trefnu defosiwn a gwneud yn siŵr fod pawb yn cael cyfle i siarad – trwy rannu'r cynulliad yn grwpiau, efallai. Does dim o'i le mewn cyfarfod felly mewn cael rhywun, rhiant ifanc o bosib, i draethu ar 'Yr eglwys yr hoffwn fod yn aelod ohoni'. Bob tro y bûm i mewn cyfarfod o'r fath, mae dwy awr yn rhy brin! Ar ddiwedd y cyfarfod bydd nifer o bwyntiau wedi dod i'r wyneb, a'r eglwys wedi datgan 'dyma sy'n bwysig i ni ar hyn o bryd'.

Mae cael y gynulleidfa i berchnogi'r cyfeiriad a'r datblygiad newydd yn hanfodol. Rhwystredigaeth fydd yr unig ganlyniad os bydd unigolyn, gweinidog neu rywun arall, yn arwain a neb yn dilyn. Rhaid bod ewyllys corff y gynulleidfa'n dymuno symud ymlaen.

Cymhelliad cryf i dorri cwys newydd yn ôl y gŵr busnes llwyddiannus, John Harvey-Jones, ydy gweld bod cadw pethau fel y maent yn fwy peryglus na mentro ar hyd llwybr dieithr. Mae diogelu dyfodol yr achos yn bwysig iawn i gynifer o bobl. Dyma rai o nodweddion eglwys fywiog, gan gofio mai'n anaml y gellir trosglwyddo rhywbeth o un eglwys i un arall yn union fel y mae:

1. Pawb yn ei chanol hi

Dyw trosglwyddo'r cyfrifoldeb am weinyddu eglwys i swyddogion a diaconiaid/blaenoriaid, heb estyn cyfle i'r holl aelodau gael eu clywed yn gyson, ddim ymhlith y ffyrdd gorau o feithrin perchnogaeth dros yr eglwys. Dylid chwilio am ffordd sy'n caniatáu i gynifer â phosib fod ynghlwm â'r penderfynu. Un ffordd ydy sefydlu nifer o gylchoedd i drafod gweddau ar fywyd yr eglwys: addoli, addysg, bugeilio, adeiladau ac ati, a chymell yr aelodau i berthyn i un neu ragor ohonynt. Gall pob cylch wedyn adrodd ei stori wrth y diaconiaid/pwyllgor canolog. Buan iawn y gwelir fod y cwrdd eglwys ar ei ennill a phobl yn fwy rhydd i siarad. Lle gall hyn ddigwydd, bydd angen mapio'r symud o'r hen drefn i'r newydd yn ofalus a phwyllog. Dyw pawb ddim yn hapus yn ildio rheolaeth.

Bydd rôl yr arweinydd yn wahanol. Rhaid wrth arweinydd. Aeth yr un grŵp o bobl i unman erioed heb fod rhywun yn arwain. Ond drwy ddiffiniad nid yw'r arweinydd nad oes canlynwyr ganddo yn arwain. 'Esgusodwch fi,' meddai Gandhi unwaith, pan oedd wedi oedi i gynnal sgwrs, 'dyna 'mhobl yn mynd, rhaid i minnau fynd, fi yw eu harweinydd'. Ydy'r arweinydd yn ddigon dewr i berfformio llai ei hun, rhannu mwy, ac ildio peth o'i awdurdod? O wneud hynny, mae'n sicr na fydd dim gronyn yn llai o waith ganddo/ganddi, ond bydd yn fwy effeithiol!

Mae aros yn yr unfan yn barhaus yn gwadu beth yw bod yn arweinydd. Addo newid trwyadl er gwell yw'r gofyn. Felly y bu erioed – Moses, Paul, yr Arglwydd Sugar!

Arfer eglwysi yn amlach na pheidio fu ethol diaconiaid am oes. Yn ymarferol, golyga hynny fod pobl fyddai â chyfraniad gwerthfawr i'w wneud ddim yn cael cyfle am nad oes lle iddynt, ac yn sgîl hynny bydd arweinwyr yr eglwys yn oedrannus lawer amser. Gwneir y pwynt yn gryf gan Vivian Jones yn *Camu Ymlaen*, 'mae'n werthfawr iawn cael cydbwysedd rhwng profiad ac aeddfedrwydd ar y naill law, ac egni a syniadau a doniau newydd ar y llaw arall. Dylai cael y balans iawn ddiogelu fod safbwyntiau aeddfed a rhai ffres yn rhan o'r arweinyddiaeth.'

Maes arall lle mae angen rhoi cyfrifoldeb i gynifer ag y gellir ynddo yw addoli. Dylid anelu at gael oedfaon lle mae mwy nag un llais i'w glywed. Arfer dda yw bod aelod neu grŵp o aelodau neu deulu yn cymryd cyfrifoldeb am oedfa. Ond iddynt gael digon o rybudd, ac ychydig o arweiniad y troeon cyntaf efallai, gallant arwain oedfa sy'n llawn bendith. Mae digonedd o ddeunydd ar bob math o themâu ar gael. Bydd y rhai sydd wedi reslo â'r mater dan sylw a llunio oedfa arno wedi derbyn cymaint mwy na phe baent wedi dod i glywed rhywun arall. Os gellir meithrin mwy o bobl i ddefnyddio'u doniau fel hyn, dyna i chi ddyfnhau ffydd yr eglwys yn effeithiol iawn.

Mae'r Ysbryd yn rhoi doniau i'r holl aelodau. Mae methu â'u rhyddhau yn bechod (Rhufeiniaid 12: 4 - 8).

2. Meithrin cymuned gariadus, agored.

Buom yn rhagdybio'n rhy aml mai eglwys ydy adeilad ac oedfa ar y Sul. Ond y ffaith amdani ydy mai cymuned o bobl yn casglu o gylch Iesu yw eglwys. Gall ddod ynghyd ble y myn: mewn capel, mewn neuadd, mewn ysgol; caiff addoli fel y myn tra bo'r Beibl yn y canol.

Mae'n ofynnol gwneud penderfyniadau'n agored, gyda digon o rybudd, ac ailymweld â nhw os oes angen. Cyn bo hir bydd pobl yn dweud eu meddwl, ac yn anghydweld, ond heb gyfrif eu hunain yn ddoethach na phawb, a neb yn bwlio'r gynulleidfa. Bydd trefn, ond heb fod yn haearnaidd.

Bydd gan yr aelodau ofal am ei gilydd, a byddant ar gael i helpu ac i fod yn gefn pan fydd taro. Priodol yn aml fydd trefnu bod system yn ei lle i ymweld â'r claf a'r unig. Bydd ysbryd ac arfer gofalgar felly yn fuan iawn yn ymestyn tu hwnt i gylch yr eglwys ei hun.

A dyna'r eglwys ar ei ffordd o fod yn un sy'n cario llwythi ddoe i fod yn un sy'n darparu egni ar gyfer heddiw.

3. Croesawgar a hyblyg.

Yn ein byd technolegol ni mae pobl wedi'u gwasgu rhwng anferthedd amhersonol y wladwriaeth a'r peirianwaith rhyngwladol ar y naill law ac unigrwydd digyswllt unigolyddiaeth ar y llaw arall. Yn eu plith bydd rhai sy'n chwilio am fan lle y gallant berthyn. Mae tystiolaeth glir mai'r hyn sy'n denu addolwyr newydd yn fwy na dim arall ydy cyfeillgarwch; fe ddechreuant ddod gyda ffrindiau. Yn aml yr hyn sy'n eu cadw yno yw cynhesrwydd y croeso y maent yn ei dderbyn gan Grist, rhagor nag argyhoeddiad ffydd. Cwestiwn diddorol: beth sy'n dod gyntaf, credu ynteu berthyn? Ym mhrofiad y rhan fwyaf ohonom, fe'n cawsom ein hunain yn y cwmni, ac o dipyn i beth aeddfedodd ein ffydd, a ninnau nes ymlaen yn cyflwyno ein hymrwymiad. Y perthyn ydy'r dechrau yn hanes llawer.

Oes croeso i bawb? Os daw rhai newydd, a ydyn ni am iddyn nhw fod yn debyg i ni, ynteu a fyddwn yn barod i ddweud, 'gan eich bod chi wedi dod, fe fyddwn ninnau'n wahanol o hyn ymlaen'? Ceir tystiolaeth fod eglwysi sy'n croesawu pobl wahanol iddyn nhw eu hunain yn debygol o dyfu, ac eglwysi sy'n croesawu pobl debyg iddyn nhw'u hunain yn debygol o edwino.

Oes croeso i bawb at fwrdd y cymun? A estynnwn y gwahoddiad i bawb sy'n aelod, ynteu i bawb sy'n caru Iesu, ynteu i bawb sy'n bresennol? Mae dau gynsail: y deuddeg disgybl oedd yn yr oruwch ystafell gyda Iesu; bu Iesu hefyd lawer tro wrth y bwrdd bwyd gyda thipyn o bawb. Mae rhin yn y croeso hwn i bawb fel y caiff ei fynegi gan Mark Barry yn egin-eglwys Safe Space, Telford:

> Welcome. The door is open, the table has room, the food is plentiful, the water is cool, the company is warm, the rest is undisturbed, the shelter is total. Welcome! The welcome is universal, the entrance is free, the invitation is open, the hand is extended, there is no time limit, the time is now, the meal is served, welcome. Eat and drink, rest, think, speak, be yourself, be one with us, be one with God, welcome. Whether you deserve it or not, whether you think you deserve it or not, all are welome, you are welcome; Christ welcomed his brothers and sisters to the table, he washed them as a servant washed important visitors, he fed them as parents fed their children, he laughed with them as friends laughed together, he blessed them as a host blesses guests, he loved them as God loves all creation.

Mae elfennau cwbl amlwg i groeso eglwys. Mae peidio â rhoi arwydd y tu allan yn dweud pryd y cynhelir cyfarfodydd yn gyfystyr â dweud mai clwb preifat sydd yma: cadwch draw. Mae hysbysfwrdd deniadol sy'n mynegi croeso yn hanfodol. Pan fo gan eglwys wefan, dylai hithau fod yn lliwgar a chyfredol. A dylai rhieni gael ar ddeall mai trysor ac nid niwsans yw llais pob plentyn bach mewn oedfa, waeth pryd y clywir ef!

4. Edrych allan

Does fawr o amheuaeth nad yw'r rhan fwyaf o bobl yn gweld ein heglwysi'n amherthnasol, yn ymylol ac, i bob golwg, yn edrych ar ei bogail bach ei hun. Yng ngolwg llawer, mae crefydd yn rhan o'r diwydiant hamdden. Dyna beth mae rhai (henffasiwn) yn ei wneud â'u hamser sbâr. Preifateiddiwyd crefydd fel popeth arall. Gwaetha'r modd, nid yn unig y tu allan i'r eglwysi y mae'r ddealltwriaeth honno mewn grym. Denir llai a llai yn y byd Gorllewinol at Gristnogaeth am fod cyn lleied o ymarfer y ffydd, a chyn lleied o ysbrydolrwydd. Os tybia'r cyhoedd mai lle oeraidd, merfaidd sydd yn y capel, pwy all weld bai arnyn nhw am beidio â dod drwy'r drws? Rhaid cael y tân a'r gwres yn ôl yn lle'r lludw llwyd.

Aeth ein Cristnogaeth yn fwy o greirfa hen bethau ac arferion, yn lle bod yn flaenffrwyth y bobl newydd a enillwyd i Grist. Diolch am ddoe a'r buddugoliaethau drud, ond ar yfory y mae ein bryd. Hawlia ein teyrngarwch i Grist ein bod yn gosod ein llaw ar gyrn yr aradr a'n llygad ar y marc yn y dalar (Luc 9 : 62).

Troi ein sylw at dasg heddiw ar gyfer fory; a throi oddi wrthym ein hunain, a gweld y gymuned o'n cwmpas, a'i gwasanaethu. Clywsom lawer gwaith mai'r eglwys yw'r unig gymdeithas sy'n bodoli ar gyfer y rheini nad ydynt yn aelodau ohoni. Does dim dyfodol i eglwysi mewnblyg, a does dim ffyddlondeb ganddyn nhw chwaith! Fe'n gelwir gan Iesu i wasanaethu pobl o'n cwmpas ymhell ac agos. Cwestiwn gwerth ei ofyn yw hwn: 'pe bai eich eglwys chi'n marw, pwy fyddai'n gweld ei heisiau, ar wahân i'r aelodau?' Mae anogaeth Jeremeia yn dal mewn grym: 'Ceisiwch heddwch y ddinas y caethgludais chwi iddi, a gweddïwch drosti ar yr Arglwydd, oherwydd yn ei heddwch hi y bydd heddwch i chwi' (29 :7). Sut y gallwn ni fynd i guddio a ninnau i fod yn bresenoldeb Iesu yn ein bro a'n byd? Os

cawn ein gweld yn rhai sydd â diddordeb yn hynt a helynt pobl ac sydd â chariad tuag atyn nhw, fe ddaw rhai o'u plith i berthyn i'r cwmni ac i weithio gyda ni.
Cafodd ambell eglwys help i ganfod ffordd ymlaen iddi hi ei hun drwy lunio datganiad cenhadol: dim ond brawddeg neu ddwy yn dweud sut mae'r eglwys yn gweld ei hun a'i thasg ar gyfer y blynyddoedd nesa; rhywbeth na fwriedir iddo bara, ac sydd ar gyfer ein heglwys ni yn unig – dyma sut y gwelwn **ni** ein hunain ar hyn o bryd. Mae'n werth rhoi cyfle i gynifer o'r aelodau ag sy'n bosib gymryd rhan yn llunio'r datganiad, a chynnal sawl cyfarfod i wneud hynny. Dyma sydd gennym yng Nghapel y Nant, Clydach ar hyn o bryd:

Eglwys Gymraeg ydyn ni sy'n ceisio cynnal a hyrwyddo'r ffydd Gristnogol yng Nghlydach. Derbyniwn ein bod ar daith ysbrydol gan gredu bod y daith honno wedi'i seilio ar gariad Duw, gras Iesu Grist, a Chymdeithas yr Ysbryd. Gwnawn ein gorau fel eglwys i werthfawrogi a rhyddhau doniau pawb yn ein plith. Gyda chymorth neges Iesu, ceisiwn herio anghyfiawnder yn y cylch, y genedl a'r byd.

Gallwn anelu at dyfu eglwys hael, llawn gofal, groesawgar, sy'n noddfa ac yn her, sy'n rhoi i bobl ac yn estyn cyfle iddynt hwythau roi. Mae wrth ei bodd pan wêl fwy yn dod i'r oedfa am ei bod yn dymuno adlewyrchu croeso'r Duw sydd wastad yn gwahodd i'r parti.

5 Addoli egnïol

Wrth reswm, mae gennym lawer eisoes na ddylem eu colli ar unrhyw gyfri; mae cymaint o ddaioni, cymaint o ddoethineb a chymaint o Dduw yn yr eglwysi. Mae pethau i'w newid, a phethau i'w gollwng, ond mae cymaint gennym hefyd i'w gadw. Does ryfedd ein bod, yn sgîl tanchwa canrif, wedi colli hyder. Rydym wedi caniatáu i ni'n hunain golli hyder ynom ein hunain a'n ffydd, ac efallai yn Nuw ei hun. Aethom i amau a fedr yr Ysbryd Glân lenwi ein haddoli, a all Duw osod ei babell yn ein plith, ac a ellir cyfarfod â Christ wrth dorri'r bara. Un o nodweddion egin-eglwysi yw eu hyder; maen nhw'n barod i fentro, ac os nad yw'r cynnig arbennig hwnnw'n gweithio, rhoi cynnig ar rywbeth arall. Byddai eu dynwared yn ein rhyddhau i fod yn fwy creadigol ac arbrofol yn ein haddoli ac yn caniatáu i ras Duw gael ei brofi'n llawnach.

Gall cân a stori a llun, darn o gelf, y greadigaeth, addoli byw, ac yn y blaen, ein syfrdanu am ennyd, a'n gwneud yn ymwybodol o rywbeth mwy na ni ein hunain, a hwnnw'n rhywbeth mwy na'n baich presennol. Addoli sydd ynghanol ein ffydd. Cawn ein deffro i fod yn ymwybodol ein bod ym mhresenoldeb gwirionedd hardd wrth i'r gynulleidfa ddod ynghyd, a sylweddoli fod popeth sydd ei angen arnom gennym. Mae Rhagair *Llyfr Gwasanaeth yr Annibynwyr* (1962) yn geirio'r rhyfeddod: 'Yn awr, y mae'r ffaith seml, aruthr, bod yr Arglwydd Iesu Grist ei hun yn bresennol a bod yr Ysbryd Glân yn weithredol mewn oedfa, yn gwneuthur addoliad yn beth mor anhraethol odidog, fel na all na phregethwr na chôr nac organydd, na dim na neb arall, ei wneuthur yn beth godidocach. Ni all neb wneuthur rhagor na gwasanaethu'n ostyngedig y godidowgrwydd sydd yno'n barod.'

I lawer, oedfa'r cymun yw'r uchafbwynt. Dyma bryd i bobl lwglyd, i bobl anghenus, i bobl sy'n dyheu am Dduw, am gariad, am faddeuant, am heddwch, am gael ein derbyn. Mae'n fath o bryd sy'n bodloni ac yn addo mwy.

(Duncan B Forrester)

Byddai eglwys lle mae Duw yn amlwg yn bresennol yn ei haddoli ac yn ysbrydoli ei byw cariadus, gydag ansawdd ei ffydd wedi'i adnewyddu, yn canfod bod byd yn gwylio ac yn daer i wybod mwy am ffynhonnell ei llawenydd, ei ffydd, ei dewrder, ei chyfiawnder a'i chariad. Byddai eglwys sy'n gwybod yn ei chalon mai Duw hael sydd gennym, un sy'n rhoi'r ddaear a'i chnwd a'i chynhaliaeth i ni, ac yn rhoi ein gilydd i ni, ac yn rhoi ei Fab i ni, yn tyfu i fod hithau yn hael ac yn mwynhau rhoi, rhoi arian ac amser a chariad. Byddai rhai, mae'n siŵr, yn ei gwawdio, ond bydd eraill yn dawnsio'n llawen i mewn iddi.

Crynhoi

Bydd hi'n anodd i gynulleidfaoedd ddechrau trafod eu breuddwydion a gofynion Duw heddiw, os ydynt yn fodlon ar bethau fel y maen nhw. Y sbardun i ddechrau'r daith yw sylweddoli fod yn rhaid newid. Efallai mai ofni gweld diwedd yr achos fydd y symbyliad cyntaf, a chyn bo hir fe welir nad yw hwnnw ynddo'i hun yn ddigon o nod.

Camp yr arweinyddion ydy ymddiried yn Nuw ac yn y bobl: peidio â'u galw nhw i ble rydych chi, er mor hardd yr ymddengys y lle hwnnw i chi. Mae angen y dewrder i fynd gyda nhw i fan na fuoch chi na nhw ynddo o'r blaen. I'r lle ble y mae'r Tad, a'i freichiau'n agored i'ch derbyn.

YMARFERION

1. Beth yw nodweddion arweinydd da?

2. Lluniwch raglen cyfarfod i drafod 'Dyfodol ein Heglwys'.

3. Rhestrwch dair nodwedd amlycaf yr eglwys yr hoffech chi berthyn iddi.

4. Pwy ddylid eu gwahodd i gymuno? A ddylid cynnwys plant?

BUGEILIO CRISTNOGOL

'Darganfod ein dynoliaeth yw prif orchwyl cenhadaeth yn ein dyddiau ni.' *Robert Warren*

Ydy bugeilio yn rhan hanfodol o fywyd eglwys, neu yn opsiwn y gellir ei ddewis neu'i anwybyddu? Pa rannau o weithgarwch eglwys y gellir eu cyfri'n fugeilio? Beth, os rhywbeth, sy'n wahanol mewn bugeilio Cristnogol? 'Peidiwch â dweud wrth bobl beth i'w wneud; gadewch iddyn nhw gael hyd i'w hatebion eu hunain,' ydy cyngor cyson y tudalennau hyn. Sut mae cysoni hynny â'r Beibl sy'n cynnig rhybudd a chyngor ac 'ateb' yn barhaus? Sut mae'r ymdriniaeth hon yn gwreiddio yn y Beibl?

Mae'r rhan fwyaf o waith eglwys yn fugeilio, a'r aelodau i gyd yn cael eu galw i gymryd rhan ynddo. Am resymau ymarferol a diwinyddol, daeth yr eglwysi i weld na allant adael yr holl waith bugeilio i'r gweinidog, ac felly y dechreuwyd arddel o ddifri eiriau a arferai fod yn fawr mwy na slogan, 'gweinidogaeth yr holl saint', a gwerthfawrogi fod holl bobl Dduw yn cael eu galw i'r gwaith. Mae hynny fel arfer yn llawenydd i'r gweinidog. Yn ddiwinyddol, mae'r eglwys yn dod yn debycach i'r hyn y dylai fod. Yn ymarferol, mae mwy o bobl yn cydio yn y gwaith ac yn ei atal rhag bod yn llwyr ddibynnol ar ddoniau ac amser ac egni'r ychydig. Da fyddai trefnu hyfforddiant i arfogi'r gweithwyr newydd sy'n barod i gydio yn y gwaith, 'i gymhwyso'r saint i waith gweinidogaeth, i adeiladu corff Crist'. Erys y dasg yn elfen bwysig yng ngwaith y gweinidog, a bydd mewn sefyllfa fanteisiol i'w harfer yn gyson, ar yr ochr unigol a'r ochr dorfol.

Y wedd wyneb yn wyneb

O bryd i'w gilydd bydd unigolion yn falch o gael cymorth wrth wynebu digwyddiadau trawmatig sydd y tu hwnt i'w rheolaeth. Yn ei hanfod mae gofal bugeiliol yn syml iawn. Un nod sydd iddo yn y diwedd, meddai Alastair Campbell – helpu pobl i brofi cariad, i'w dderbyn ac i'w roi. Mae crynodeb Iesu o'r Gyfraith a'r Proffwydi, meddai wedyn, yn dweud y cyfan sydd angen i ni ei wybod am weinidogaeth (Lef 19:18: Deut 6:5).

Beth sydd gan y bugail Cristnogol, yn weinidog neu'n lleyg, i'w gynnig yn ychwanegol i'r hyn sydd gan ofalydd seciwlar? Yn gyntaf, mae'n dod yn enw Crist ac yn enw'r eglwys, a bydd yn dod â'i becyn crefyddol i'w ganlyn. Bydd elfennau negyddol a chadarnhaol yn y ffordd y caiff ei weld. Heb ddweud gair, bydd yn cario gobeithion neu ofnau yn ôl dealltwriaeth a phrofiad a rhagfarn y derbynnydd. Mae'r label 'Cristion' yn cario pwysau.

Mae'r ymwelydd Cristnogol yno yn enw'r eglwys ac yn enw Iesu. Efallai y bydd offrymu gweddi neu gymuno yn briodol. Efallai y bydd cyfle i sôn am faddeuant neu heddwch â Duw, os agorir y drws i hynny. Y peth pwysicaf ydy bod yno, heb air na gweithred, yn teimlo'r gwewyr. Ein tasg yn aml ydy rhoi ein hunain yn yr un lle â'r llall – lle nad oes geiriau. Ein lle ni ydy bod yno yn ysbryd Iesu. Bydd yr anghenus yn tynnu oddi arnom yr hyn fydd yn help iddyn nhw.

Mae cwnsela yn canolbwyntio ar ollwng yr unigolyn yn rhydd i wneud ei benderfyniad ei hun ac yn darparu'r amgylchedd iddo fedru canfod ei atebion ei hun i'w gwestiynau ei hun. Sail y ffydd Gristnogol ar y llaw arall yw ei bod yn meddu ar wybodaeth a doethineb a gwirionedd sydd wedi'u datgelu gan Dduw. Sut felly y gall y Cristion beidio â dangos ei ochr?

All e ddim, wrth gwrs. Fedr ein cwnsela ni ddim â bod yn ddiduedd. Mae llawer ymddygiad sy'n gwbl annerbyniol, a rhaid dweud hynny. Os bydd dynion yn cyfaddef iddynt gam-drin plant neu eu bod yn taro eu gwragedd, er enghraifft, nid eu helpu i ganfod eu hateb eu hunain wnewch chi ond dweud bod yn rhaid i hynny beidio. Byddant yn gwybod ym mêr eu hesgyrn eu hunain bod eu hymddygiad yn gwbl annerbyniol. Mae'r cwnselydd Cristnogol yn dod â'i werthoedd i'w ganlyn. Bydd y bugail Cristnogol yn gysurus gyda phrofiad crefyddol pobl. I lawer, mae taith ysbrydol yn rhan o'u dynoliaeth, er nad ydy hynny wastad yn cynnwys mynd i'r capel na ffydd uniongred. Gall person fod yn falch iawn o gael ymchwilio i ambell gyfeiriad mewn trafodaeth. Cwbl addas, er enghraifft, fyddai archwilio dealltwriaeth rhywun o farwolaeth a nefoedd, pe bai'r mater yn codi wrth helpu rhywun sy'n hiracthu am berthynas agos.

Dylem gofio nad oes y fath beth â'r 'un ateb Cristnogol' i lawer cwestiwn. Geiriau gwirionedd oedd gan Iesu yn ddi-feth. Gwelsom Gristnogion ym mhob oes ac ym mhob lle yn gwneud camgymeriadau: yn aml nid yn gwyro ychydig oddi wrth y gwir ond yn ei wadu'n llwyr. Mae peryg mewn dweud 'fel hyn y dywed yr Arglwydd' yn rhy aml. Fyddwn ni ddim yn dod yn niwtral, heb farnau gwerth, ond rhaid gwylio rhag bod yn anystwyth ac yn ddogmataidd fel pe na allem fod yn anghywir. Gwareder ni rhag credu, 'Dim ond fy nehongliad i o'r ffydd sy'n iawn'.

Bugeilio proffwydol

Mae'r efengyl yn hawlio ein bod yn mynd i'r afael â phwerau anghyfiawn. Mae anghyfiawnder cymdeithasol yn ein gorfodi i wneud safiad. Rhaid gofyn yn aml 'Ar ba ochr ydw i?' Mae gorbwyslais ar ofal bugeiliol dros unigolion yn arwain at ddistewi'r rhybudd proffwydol y dylai'r eglwysi fod yn ei seinio yn wyneb datblygiadau sy'n dad-ddynoli. Cwestiwn sy'n codi ar hyn o bryd ydy: a ddylem ni gefnogi banc bwyd i helpu unigolion yn eu tlodi ynteu a ddylem ni ymgyrchu yn erbyn y polisïau gwleidyddol sy'n gwneud pobl yn dlawd? Does bosib nad ydy gwneud y cyntaf heb yr ail ddim yn dderbyniol!

'Y ffisegol yw'r unig faes lle gellir datgan sancteiddrwydd' meddai George MacLeod. Pan gaiff corff ei boenydio, ei lwgu, ei guro, ei gam-drin, mae'r ysbryd yn cael ei golbio a'i niweidio'n ddwfn hefyd. Cyfeiria Kathy Galloway at bobl yn gwaedu i farwolaeth, a ninnau'n poeni am y gwaed ar y carped. Ein gwaed ni ydy hwnnw. Dyw'r eglwys yn ein dyddiau ni ddim yn marw o achos erledigaeth. Nid o'r tu allan y daw'r bygythiad. Nid pobl greulon a drwg y tu mewn sy'n gyfrifol chwaith. Caiff y corff ei fygu a'i lwgu gan ei neisrwydd diderfyn. Dymunwn weld adeiladau neis, gweinidogion neis, emynau neis, oedfaon neis. Ond beth os nad oes pethau neis o'n cwmpas ac yn ein calon? Beth os teimlwn ddicter, ac ofn, a chwant, a dialedd, ac unigrwydd? Nid pethau neis ydy'r rhain; ewch â nhw i rywle arall! Cymerwn arnom fod yn neis, a symud ymhellach ac ymhellach oddi wrth realiti. Felly y gwêl Kathy Galloway ein sefyllfa. Ydy hi'n dweud y gwir trosom ni?

Mae angen i'r eglwysi weithredu yn y byd cymdeithasol, gwleidyddol. (Gweler hefyd *Pam Bugeilio*) All eglwys ddim peidio â phregethu chwaith. Bydd ei gweithredu wastad yn anghyflawn, ac ar ei waetha'n niweidiol. Rhaid wrth eiriau, er mai annigonol a chamarweiniol a chyfeiliornus fydd y rheiny hefyd. Ond eu gogoniant fydd dyrchafu Iesu: rhoi cyfle i bobl gael golwg arno eto, a gwrando arno eto.

Collwn olwg weithiau ar ddynoldeb Iesu. Daeth o'r uchelder i'n canol mewn lle a chyfnod, yn Iddew. Ond uniaethodd â dynoliaeth gyfan a gall pob hil a chenedl ei adnabod yn ddyn fel y bwriadwyd i ddyn fod. Gwrthododd labelu eraill ac ni ellir ei labelu yntau. Gweddïodd dros y milwyr a'i hoeliodd, nid fel Rhufeiniaid ond fel dynion. Pam na allwn ddysgu oddi wrtho a rhoi'r gorau i fynnu gosod pobl mewn carfannau, yn ni a nhw? Bu Iesu farw dros bawb, yn ddieithriaid, 'A minnau, os caf fy nyrchafu oddi ar y ddaear, fe dynnaf bawb ataf fy hun.' (Ioan 12:32).

Ar y dechrau daeth yn fregus, i dlodi Bethlehem. Yn y diwedd, yn ei ddioddefaint, y mae ar drugaredd pawb a phopeth. Wrth i chi sylwi ar ei urddas a'i ddewrder, ei benderfyniad di-ildio, ei ofal dros eraill, ei nerth a'i dynerwch, ei reolaeth lwyr dros y sefyllfa, does dim amheuaeth ynghylch ei ryddid (Ioan 10:18). Cri o fuddugoliaeth yw 'Gorffennwyd' ar y groes. Ni lwyddodd yr un ddichell na chreulondeb na chasineb i ddifa'i gariad. Nid dilyn ei groes y mae buddugoliaeth Crist, ond codi ohoni.

Bydolwg heddiw

Un stori fawr oedd yn ein rhan ni o'r byd tan yn gymharol ddiweddar. Stori'r Beibl oedd honno. Doedd dealltwriaeth pawb ohoni ddim yr un fath ac roedd rhai yn ei hanwybyddu, ond hi oedd yno i'w choleddu neu i'w gwrthod. Dyna'r castell oedd yn gefndir i ddehongli bywyd. Roedd stori'r Iddewon, stori Iesu, ei ddamhegion, stori'r gymuned a ffurfiwyd yn ei enw, i gyd yn pwyntio at 'stori fawr' yr oedd ei dylanwad yn ddwfn, nid ar unigolion yn unig ond ar ein holl hanes yn ogystal. Dyna oedd cefndir gofal bugeiliol hyd yn ddiweddar.

Daeth tro ar fyd. Rydym bellach yn byw yn yr oes ôl-fodern. Datblygodd honno, medden nhw, am nad oedd yr hen system yn darparu fframwaith boddhaol ar gyfer deall y profiad modern. Rhaid i unrhyw fugeilio Cristnogol dilys gymryd y cyd-destun hwn i'w galon.

Un o'i nodweddion ydy newid cyflym. Fu cymdeithas erioed yn hollol sefydlog, wrth reswm, ond yn ein cyfnod ni mae'n symud ar garlam. Daeth gwasanaethau i gymryd lle diwydiannau trwm. Ychydig o swyddi sydd heb hawlio meistrolaeth o'r cyfrifiadur. Mae disgwyl i weithwyr symud o swydd i swydd a datblygu sgiliau newydd. Gadawyd eraill ar ôl, a neb eu heisiau. Mae rhai'n gweithio bob awr o'r dydd ac eraill yn llusgo drwy eu dyddiau. Mae arwyddion cyfoeth mawr a thlodi mawr drwy ein bröydd. Aiff *homo Tesco* i'w deml yn yr archfarchnad newydd i brynu llawer mwy nag sydd ei angen arno, tra bydd dynion a merched digartref yn eistedd ar ymylon ein strydoedd yn cardota am friwsion.

Bu chwyldro mewn dulliau cyfathrebu. Yn lle'r ychydig sianelau teledu du a gwyn, o fewn cenhedlaeth mae sianelau di-ri sy'n darlledu lluniau byw o ble fynnoch chi yn y byd. Ildiodd y papur ffotograffig a'i luniau parhaol ei le i ddisgen lle gellir recordio neges ar ben neges a digwyddiadau heddiw'n cael eu cadw ar yr amod fod rhai ddoe'n cael eu dileu. Mae mwy a mwy o bobl, ifanc yn arbennig, yn byw a bod ar declynau electronig, yn rhannu gwybodaeth a barn gyda'i gilydd. Fel y dywedwyd rywbryd, roedd moderniaeth yn adeiladu mewn dur a choncrit, ac ôl-foderniaeth mewn plastig pydradwy.

Rhaid i fugeilio Cristnogol ddigwydd yn y cyd-destun hwn, meddai David Lyall yn *The Integrity of Pastoral Care*. Ac nid chwyldro cymdeithasol yn unig a ddigwyddodd ond un moesol hefyd. Mae llyfr Noel Davies, *Moeseg Gristnogol Gyfoes*, yn ymdrin ag ymateb ac arweiniad yr eglwys fydeang ar y pynciau moesol sy'n meddiannu'r llwyfan bellach, yn sgîl datblygiadau gwyddonol a thechnegol. Trafodir o safbwynt Cristnogol bynciau meddygol, economeg, ecoleg a heddwch, a sut mae blaenoriaethu mewn byd lle mae tlodi'n andwyo bywyd cymaint o bobl.

Does dim modd osgoi'r chwyldro mewn moesoldeb rhyw. Hyd at tua chanol y ganrif ddiwethaf gwelid rhyw y tu allan i briodas fel pechod a gwarth. Mae'n norm bellach i gyplau gyd-fyw cyn priodi neu yn lle priodi, ac mae'r term 'partner' wedi magu ystyr newydd. All bugeilio ddim anwybyddu'r symudedd sy'n digwydd o fewn teuluoedd a rhaid dysgu addasu i sefyllfaoedd newydd a bod yn oddefgar o lawer datblygiad, ynteu weld pobl yn pellhau ac, yn sgil hynny, colli cyfle i helpu.

Daw'n fwy eglur bob dydd bod gofyn i fwy a mwy o eglwysi gytuno ar faterion yn ymwneud â rhywedd. Sut maen nhw am ymateb i barau o'r un rhyw sy'n cyd-fyw neu am briodi yn y capel neu wedi mabwysiadu plant? Ydyn nhw am fendithio neu gondemnio? Yn y bôn, mae'n debyg mai'r cwestiwn i'w ateb ydy a yw dau o'r un rhyw sydd gyda'i gilydd yn ymddwyn felly am mai felly y cawson nhw eu creu ai peidio, ac yng nghysgod hynny, sut mae delio â nhw'n fugeiliol?

Mae'r ethos ôl-fodernaidd wedi hofran uwchben yr eglwysi hefyd. Prysurodd y cefnu ar yr eglwysi. Collodd capela ei afael ar y cenedlaethau iau i fesur helaeth, gan adael yr ychydig oedrannus ar ôl mewn llawer lle. Mae'r eglwysi sy'n tyfu yn tueddu i fod yn geidwadol eu diwinyddiaeth ac yn garismataidd eu haddoli. Yr un pryd ag y ciliodd y tyrfaoedd o'r capeli gwelir diddordeb newydd mewn ysbrydoledd ac ymchwil am yr arall. Ychydig o athrawiaeth sydd yno fel arfer. Cânt drafferth i fynegi'u perthynas â'r ysbrydol. Mae'n galonogol fod cymaint yn disgrifio'u hunain fel 'chwilotwyr ysbrydol'; mae'n rhaid ceisio cyfle i'w ddilyn ymhellach. Ond, wrth reswm, mae bwlch anferth rhwng chwilio am hunangyflawni a hapusrwydd ar un llaw ac ymrwymo i wasanaethu'r Duw byw ar y llaw arall.

Prin ydy'r rheiny sy'n barod i dderbyn unrhyw becyn cyfan sy'n cael ei gynnig iddyn nhw. Gwell ganddynt gymryd pinsiaid o hwn a phinsiaid o'r llall. Gellid dadlau bod hynny'n cryfhau sefyllfa'r eglwysi dim ond iddynt fod yn ddigon effro a hyblyg i siarad â phobl ac ymddwyn yn agored a chyfeillgar.

Seiliau Beiblaidd

Mae Gene Tucker yn *Dictionary of Pastoral Care and Counselling* yn rhestru rhai themâu o'r Hen Destament sy'n goleuo'r dasg fugeiliol.

❖ Mae'r meddwl Beiblaidd yn Dduw-ganolog. Rhagdybir, heb geisio esbonio, fod Duw yn gweithredu yn ein plith a thrwom. Mae gofal disgwyliedig dynion a merched am ei gilydd wastad yn gysgod o ofal mwy Duw am ei bobl. Yr un gair, anodd ei gyfieithu, *chesedd,* sy'n dod agosaf at gyfleu'r gofal hwnnw. Yn y BCN 'trugaredd' ydy'r trosiad arferol, ond mae'n cynnwys hefyd 'ffyddlondeb cadarn'.

❖ Yn y Beibl mae gofal yn dorfol a chymunedol, nid unigolyddol. Rydym mewn cyfamod â Duw; ac â'n gilydd hefyd. Prin y gwelir llawer o hynny mewn seicotherapi ond mae'n un o hanfodion gofal bugeiliol. Does dim modd ysgaru iechyd a lles yr unigolyn oddi wrth iechyd a lles cymunedau.

❖ Nid haniaeth cyffredinol nac ysbrydol yn ei ystyr gyfyng ydy gofal Beiblaidd. I adlewyrchu hynny bydd gofal bugeiliol yn gwbl ymarferol. Mae'n ofal am y weddw a'r amddifad; mae'n groeso i'r dieithryn; mae'n fara i'r newynog; mae'n nawdd i'r galarus; mae'n gyfiawnder i'r gorthrymedig; mae'n drugaredd i'r pechadur. Mae dealltwriaeth yr Hen Destament o ofal yn rhybudd iachus i bwy bynnag sydd am ysbrydoleiddio gofal bugeiliol, er mwyn galluogi pobl i deimlo'n fwy crefyddol, tra'n anwybyddu'u hanghenion sylfaenol. Mae'n bwysig gweld gwerth y mil o weithredoedd caredig i iechyd cynulleidfaoedd a chymunedau.

❖ Mae gofal Beiblaidd yn annog rhoi mynegiant llawn i deimladau. Dro ar ôl tro yn yr Hen Destament gwelwn fod y berthynas â Duw yn onest iawn. Nid yn anaml, gwelir pobl yn dadlau â Duw ac yn ei berswadio i newid ei feddwl. Wrth addoli ac mewn gweddi, tra'n siarad â Duw, yn y Salmau yn arbennig, gwelwn holl ystod yr emosiynau: tristwch yn gymysg â llawenydd, anobaith a hyder law yn llaw, a dicter yn cael ei droi at Dduw. Felly yn ein gofalu bugeiliol dylem annog pobl i fod yn nhw eu hunain. Credir weithiau mai dim ond rhai teimladau y gellir eu dwyn i'r wyneb mewn sefyllfa grefyddol. Mae'n bosibl gosod mwy o werth ar gwrteisi nag ar onestrwydd. Mae meithrin neisrwydd yn gallu gwneud llawer i dagu gweinidogaeth fugeiliol ymhlith y rheiny sydd â rheswm da dros fynegi teimladau negyddol yn sgîl y cam a wnaed â nhw. Gochelwn rhag 'chronic niceness', meddai Alastair Campbell.

❖ Mae amrywiaeth mawr mewn gofal Beiblaidd. Mae'r Hen Destament yn dangos trugaredd Duw yn cael ei fynegi mewn ffyrdd gwahanol o genhedlaeth i genhedlaeth. Cyfiawnder a thrugaredd oedd consyrn y proffwydi, cynnig cyngor a chyfarwyddyd wnâi'r gwŷr doeth, a byddai offeiriaid yn darparu ar gyfer dathlu a diolch a derbyn maddeuant. Does dim patrwm o gwnselydd wyneb yn wyneb yn yr Hen Destament. Pan chwalodd byd Job, ei angen oedd rhywun i eistedd wrth ei ochr a gwrando, ond nid dyna a gafodd! Yr hyn a welir drwy'r Hen Destament yn gyson ydy pobl yn ymdrechu i arfer gofal am ei gilydd.

Does dim sy'n fwy yn y Gyfraith a'r Proffwydi na'r ddau orchymyn mawr, meddai Iesu, 'Câr yr Arglwydd dy Dduw â'th holl galon ac â'th holl enaid ac â'th holl nerth ac â'th holl feddwl a châr dy gymydog fel ti dy hun.' (Luc 10:27) Ar ein gorau, ymgyrraedd at hynny wnawn ni, ond roedd Iesu'n gweithredu'r gorchymyn yn llawn. Canfyddai ei ryddid mewn ufudd-dod llwyr i Dduw. Rhoddai eraill yn gyntaf wastad: yn ei dosturi, yn ei amynedd, yn ei onestrwydd, yn ei ddewrder. Hyd yn oed yng ngwewyr Gethsemane a ffordd y groes mae ganddo ofal mawr am bobl eraill. Rhannol ydy ein cariad ni ond mae cariad Iesu'n llawn.

'Daeth y Gair yn gnawd a phabellu yn ein plith.' (Ioan 1 :14) Credai'r Eglwys Fore fod y dyn Iesu yn Dduw yn eu mysg mewn ystyr real iawn; barn hynod, yn enwedig o gofio undduwiaeth ddiwyro'r diwylliant Iddewig. Meddai Christopher Jones yn *Tomorrow Is Another Country,* 'Yn y ffydd Gristnogol, y mae'r gwirionedd terfynol ac ystyr bywyd nid mewn casgliad o egwyddorion awdurdodol, ond mewn person unigol, wedi'i leoli mewn amser a lle, yr un sy'n ddatguddiad o gymeriad a bwriad Duw.'

Grym Duw sydd ar waith yn y gwyrthiau. Bu cymaint o iacháu. Rhoddwyd gorchymyn i ddisgyblion Iesu barhau â'r gwaith. Dyma sylfaen sicr i ddyhead bugeilio Cristnogol am iechyd a chyflawnder. Mae'r damhegion hefyd yn rhan bwysig o'r datguddiad. Maen nhw'n herio ein rhagdybiau. Maen nhw'n ein helpu ni i'n gweld ein hunain. Storïau amdanon ni ydyn nhw. Fi ydy'r Mab Afradlon; fi ydy'r Mab Hynaf. P'un ydw i'n mynd i fod heddiw – yr offeiriad, ynteu'r Lefiaid, ynteu'r Samariad? Os na chaiff y damhegion eu gollwng yn rhydd yn beryglus i'm herio i ymddwyn yn fwy cariadus, yna maen nhw'n aros yn storïau neis a diniwed.

Fy nghael i'm hwynebu fy hun yw bwriad y damhegion. Dyna fwriad cwestiynau Iesu hefyd, ac mae cynifer ohonynt. Bu'r claf yn gorwedd wrth lyn Bethesda ers tri deg ac wyth o flynyddoedd heb unwaith gyrraedd y dŵr yn gyntaf. Mae Iesu cystal â holi 'a wyt ti am wella ynteu a wyt ti wedi cynefino â'th gyflwr?' wrth ofyn, 'A wyt ti yn dymuno cael dy wella?' Gan ddilyn y weinidogaeth hon, helpu pobl i'w hwynebu'u hunain a'u cael nhw i droi tuag at y golau ydy rhan fawr o gwnsela bugeiliol.

A hithau'n greiddiol i'r stori Gristnogol, does ryfedd yn y byd bod y groes yng nghanol gwaith bugeiliol yr eglwys. Does neb wedi treiddio at waelodion cyfoeth ystyr y groes.

Rhyw newydd wyrth o'i angau drud,
a ddaw o hyd i'r golau.

Bodlonwn yma ar nodi tair o'r elfennau hynny.

❖ Mae'r groes yn dinoethi'r cythreuldeb y mae'r ddynoliaeth, yn unigol ac yn strwythurol, yn gallu ei gyflawni. Byddwn yn trin eraill yn erchyll o annheg a chreulon, trwy weithredu ynteu trwy esgeulustod, a gwneud hynny ar adegau ysywaeth dan fendith cyfraith ac yn enw crefydd a duwioldeb. 'Roedd Duw yng Nghrist'; roedd Duw ei hun yn bresennol ac, mewn ffordd ddirgel, yn dwyn iechyd i fywydau toredig. Mae'r Atgyfodiad yn dilyn, ond gellir symud yno yn rhy gyflym, fel petai'r Atgyfodiad yn ddim ond gwneud pob peth yn 'iawn yn y diwedd'. Mae iachâd yn tarddu yn y groes ei hun. Mynegwyd hynny'n nerthol gan yr emynwyr:

Ond buddugoliaeth Calfari
Enillodd hon yn ôl i ni

William Williams

Bu rhyw frwydr ryfedd iawn
Ar Galfaria:
Cafwyd buddugoliaeth lawn
Halelwia!
Jane Hughes.

Mae cynnig gofal bugeiliol yng nghysgod y groes yn wneud hynny lle gellir wynebu bod yn fregus a thoredig, gan gyfyngu'r poen a'i drawsffurfio.

❖ Er yr holl lysnafedd a daflwyd at Iesu, bu farw â gair maddeuant ar ei wefus. Ni lwyddodd dim malais na chreulondeb i lacio gafael ei gariad. Bydd yr un sy'n dod i dderbyn gofal ac i rannu'i faich yn chwilio am faddeuant yn ddigon aml. Bydd ambell ffurf ar grefydd yn gwneud ei gorau i gael pobl i deimlo'n euog, a bydd pobl yn teimlo euogrwydd am bob math o resymau, a hynny y tu hwnt i bob synnwyr. Ond yn bendant bydd adegau i gyfaddef cyfrifoldeb a symud tuag at faddeuant.

❖ *The Wounded Healer* ydy teitl arwyddocaol llyfr y diwinydd bugeiliol o'r Iseldiroedd, Henri Nouwen. Mae'r poenydio'n lladd Iesu, ac eto, drwy ei weinidogaeth ac, yn arbennig ar y groes, Iesu ydy'r Meddyg Da. 'Daeth balm o archoll ddofn y bicell fain.' Cysgod gwan, gwan o hynny sydd yn ein hanes ni, ond y mae gofyn iddo fod yno. Dyw'r weinidogaeth ddim yn cael ei chyflawni gan ofalydd 'iach' na phrofodd boen, ar gyfer rhyw druan sydd wedi cael mwy na'i siâr o anlwc. Derbynnir bod llawer o'n gofalwyr bugeiliol gorau wedi bod drwy'r tân eu hunain. Rhaid osgoi sylwadau fel 'Fe fûm i yn y fan honno, a dyma a ddigwyddodd i mi'. Ond dylai ei brofiad wneud y gofalydd yn fwy effeithiol yn llaw Duw.

Wrth siarad am ei atgyfodiad gyda'i ddisgyblion dywed Iesu y bydd yn eu gadael cyn hir, 'y mae'n fuddiol i chwi fy mod i'n mynd ymaith. Oherwydd os nad af ni ddaw'r Eiriolwr atoch chwi.' (Ioan 16:7). Henri Nouwen eto sy'n gweld dolen rhwng hynny a'n gweinidogaeth ymweld ninnau. O'i brofiad cyfoethog, barna ei bod yn hanfodol fod y claf, gartref neu mewn ysbyty, yn gweld mai peth da yw nid yn unig ein bod wedi dod ond ein bod wedi mynd hefyd. Gall y cof am yr ymweliad fod mor werthfawr â'r ymweliad ei hun. Mae ein mynd yn gallu gwneud lle i'r Ysbryd, a Duw yn dod yn bresennol mewn ffordd newydd. Mae gwahaniaeth y byd rhwng absenoldeb yn dilyn ymweliad a'r absenoldeb sy'n ganlyniad peidio â dod o gwbl. Dyw presenoldeb Duw mewn sefyllfa anodd ddim yn dibynnu ar fy mod i yno! Ein lle ni ydy cynnig y weinidogaeth fugeiliol lawnaf a fedrwn ni ac yna mynd o'r ffordd a gwneud lle i'r Ysbryd.

DIWEDDGLO

Mae pwerau teyrnas Dduw wedi'u gollwng yn rhydd. Ein braint aruthrol yw gwneud lle iddyn nhw. Pregethu'r efengyl a iacháu'r cleifion ydy'r comisiwn. Ni ddylid defnyddio gofal bugeiliol i efengylu. Ac eto, does dim efengylu rhagorach na gofalu da. Dyma lle mae'r efengyl yn ymateb diriaethol i anghenion pobl, a gras yn gyffyrddadwy.

Mae gennym lawer i'w ddysgu, am yr efengyl a'i llawnder, am gymdeithas a'i hangen, am unigolion a'u clwyfau. Cyn gorffen dysgu, rhaid gafael yn y gwaith ac arfer cariad yr efengyl. Y mae gofal Cristnogol yn dal i fod yn greiddiol yn ôl Noel Davies yn *Moeseg Gristnogol Gyfoes*. 'Nid casgliad o egwyddorion yw'r foeseg Gristnogol... ond cyflwr personol, cymdeithasol a rhyngwladol lle mae cariad a chymod, trugaredd a thosturi, cyfiawnder a heddwch Duw yn teyrnasu yn Iesu Grist. Yn y deyrnas hon... bydd y bregus, y gorthrymedig, y clwyfedig a'r tlodion yn cael blaenoriaeth, a'u hanghenion hwy fydd yn cael y lle blaenaf mewn unrhyw ymdrech i fyw a gweithredu'n foesol.' Cynnig y gofal hwn yw un o hanfodion bywyd yr eglwys.

Rhaid osgoi'r demtasiwn barhaus i roi blaenoriaeth i ddyfodol yr eglwys. Mae'n bwysig ein bod yn glynu wrth hanfod y weledigaeth o holl bobl Dduw yn cael rhan yn y genhadaeth y mae Duw wedi'i hymddiried i ni, 'fel wrth enw Iesu y plygai pob glin yn y nef ac ar y ddaear a than y ddaear, ac y cyffesai pob tafod fod Iesu Grist yn Arglwydd, er gogoniant Duw Dad.'(Phil 2 : 10-11)

YMARFERION

1. Rhowch enghraifft o'r Efengylau o Iesu'n rhoi blaenoriaeth i eraill:

a) yn ei dosturi
b) yn ei amynedd
c) yn ei onestrwydd
ch) yn ei ddewrder.

2. Nodwch rai o'r cwestiynau a ofynnodd Iesu.

TRAFODAETH AR Y CWESTIYNAU

Pawb i ateb ei hun yn gyntaf. Wedyn rhannu'r atebion â'r grŵp.

PAM BUGEILIO?

2. Claf yn dweud 'Mae ofn arna i.'

a. Dyw ymateb yn galonnog ddim yn debygol o helpu. Does dim i'w ddweud dros setlo'r mater gydag un sylw; mae'n gyfystyr â datgan, 'Dydw i ddim gyda thi'.

b. Mae'n hawdd teimlo'n gryf a ffyddiog, a gwneud i'r llall deimlo'n wan ac annigonol. Rhoi lle diogel i'r claf sydd orau, er mwyn iddo/iddi fedru mynegi beth bynnag sy'n pwyso heb deimlo beirniadaeth.

c. Bu'r claf yn ddewr i sôn am yr ofn. Mae'r ateb hwn yn caniatáu symud ymhellach, ac i archwilio beth yw sail yr ofn. Er enghraifft, efallai iddi weld claf arall yn dychwelyd i'w ward mewn cyflwr drwg, ac efallai bod sefyllfa honno'n wahanol iawn.

Peidiwch ag wfftio, a pheidiwch â chynnig ateb rhwydd.

3. 'Dydych chi ddim yn fy helpu i.' 'Ewch i helpu rhywun arall'. Fe all fod rhywbeth o'r golwg mewn sylwadau fel hyn. Gwell trïo dod o hyd i'r hyn sydd wir yn cael ei ddweud. Rhaid osgoi ateb yn amddiffynnol trwy ddweud rhywbeth fel 'Rwy'n gwneud fy ngorau i'ch helpu chi'.

Mae'n bosibl bod mynegi ffaith yn digwydd yma. Yn y mater dan sylw does dim digon o wybodaeth a phrofiad gennych i fynd ymhellach, a'ch cyfrifoldeb ydy cyfeirio rhywun at arbenigwyr, cwnselwyr proffesiynol – CRUSE, RELATE, Cyngor ar Bopeth ac ati.

Gallai'r siaradwr fod yn gosod prawf arnoch wrth ddweud 'Ewch i helpu rhywun arall'. Ydych chi wir yn barod i aros yno a gwrando, neu a fyddech yn falch o gael dianc?

GWRANDO

3. 'Rydw i'n teimlo fel lladd y dyn drws nesa.'
a. Ateb anfoddhaol sy'n rhoi terfyn ar y sgwrs yn syth. Mae'n llawer rhy ymosodol ac yn datgelu sioc a gormod o fynegi barn o'ch ochr chi. Dyw'r ateb hwn ddim yn gadael lle i drafod.
b. Yr ymateb gorau. Rhoi cyfle i ymhelaethu, ac yn canolbwyntio ar yr emosiwn.
c. Cyfle i ateb yn llawnach, ond ddim cystal â (b). Mae'n agos iawn at ofyn 'Pam?'.
Mae tôn y llais yn fater o bwys.
Gallai (c.) swnio'n ymosodol a bygythiol o'i fynegi'n llym.

4. Mae 'Fe gefais i'r driniaeth yna dair blynedd yn ôl. Roedd yn gyfnod ofnadwy.' yn ymateb anfoddhaol oherwydd:
❖ Dydy fy mod i'n adrodd fy hanes fy hun ddim yn syniad da – hyd yn oed pan fo'n galonogol! Mae'n tynnu'r sylw oddi wrth yr un sydd mewn gofid.
❖ Ymgais wan i fynegi empathi. Y peth diwethaf y dylem ni ei wneud ydy dychryn y claf.

GALAR

1. Siarad â gweddw cyn ymadael.
a. Gallai, fe allai wastad fod yn waeth. Ond does byth esgus dros ddweud hynny. Mae'r sylw yn dod yn agos at ddweud 'Dydy hi ddim mor ddrwg â hynny'.
b. Sylw creulon. Y bwriad, mae'n siŵr, ydy codi calon, codi'r wraig o'r tywyllwch am eiliad. Ond defnyddio cyllell finiog fyddai dweud y fath beth ansensitif.
c. Dyna welliant; empathi. Rhaid iddo ddod o'r galon.

3. Does dim dagrau yn y golwg.
Nid wrth nifer y dagrau mae mesur dyfnder y galar a'r hiraeth. Wordsworth sy'n sôn am 'a wound too deep for tears' / 'archoll rhy ddwfn i ddagrau'.
Efallai bod byd y galarus ar chwâl yn llwyr ac yntau'n ansicr iawn ohono'i hun. Bydd derbyn awgrym bod ei brofiad yn 'normal' yn gymorth. Ei siglo ymhellach fydd cynghori iddo ymddwyn yn wahanol, beth bynnag y cymhelliad.

YMWELD
3. Ymweld â hosbis.
a. Gall bod yn fusneslyd ynghylch afiechyd pobl roi'r argraff nad ydych yn mynegi'r consyrn cywir. Eu teimladau nhw sydd o bwys i ni. Gall fod rhesymau weithiau dros ganfod beth ydy'r sefyllfa glinigol. Os felly, gwell gofyn cwestiwn agored, 'Beth mae'r doctor wedi gallu'i ddweud wrthych chi?', sy'n rhoi cyfle i ateb cwta, 'Dim byd!' neu i ymhelaethu yn faith ac yn fanwl.

Mae addo iechyd yn y man yn swnio'n wag, yn ddim ond ymdrech dila ac anonest i estyn cysur. Peth arall gwahanol iawn ydy clywed y claf yn mynegi gobeithion.
4. "Peth ofnadwy ydy bod yn ddall"
Dim ond b. sy'n dderbyniol! Dyw'r ddau sylw ffeithiol-gywir arall yn gwneud dim ond eich pellhau. Empathi sydd ei angen. Rhowch eich hun yn eu lle am foment.

5. 'Fe ddylwn fod wedi aros gartref'.
Y cwestiwn i'w archwilio yw, 'A oes sail i'r euogrwydd?' A hynny, nid o safbwynt y gwrandäwr, wrth gwrs, ond o safbwynt y llefarydd. Dyw'r wfftio sydd yn (a) ddim yn gwneud dim ond eich pellhau. Mae (b) ac (c) yn rhoi cyfle i ddatblygu'r ymdeimlad o euogrwydd, a'i archwilio ymhellach.

Llyfryddiaeth

Ainsworth-Smith, Ian a Speck, Peter: *Letting Go.* SPCK, 1982.
Billington, Wendy: *Growing a Caring Church.* The Bible Fellowship, 2010.
Butler, Michael ac Orbach, Ann: *Being your age.* SPCK, 1993.
Carr, Wesley: *Brief Encounters.* SPCK, 1985.
Campbell, Alastair V.: *The Gospel of Anger.* SPCK, 1986.
Causley, Charles: *Collected Poems 1951–1975.* Macmillan, 1975.
Davies, Noel: *Moeseg Gristnogol Gyfoes.* Y Lolfa, 2013.
Gray-Reeves, Mary a Perham, Michael: *The Hospitality of God.* SPCK, 2011.
Greenwood, Robin: *The Ministry Team Handbook.* SPCK, 2000.
Greenwood, Robin a Hart, Sue: *Being God's People.* SPCK, 2011.
Hollins, Sheila a Grimer, Margaret: *Going Somewhere.* SPCK, 1988.
Jacobs, Michael: *Still Small Voice.* SPCK, 1982.
Jacobs, Michael: *Swift to Hear.* SPCK, 1985.
Jones, F.M: *Bugeiliaeth Gristnogol.* Tŷ John Penri, 1998.
Jones, Vivian: *Camu Ymlaen.* Tŷ John Penri, 2006.
Jones, Vivian: *Helaetha dy Babell.* Tŷ John Penri, 2004.
Jones, Vivian: *Menter Ffydd.* Tŷ John Penri, 2009.
Kübler-Ross, Elisabeth: *On Death and Dying.* Routledge, 1970.
Long, Anne: *Listening.* Daybreak, 1990.
Lyall, David: *The Integrity of Pastoral Care.* SPCK, 2001.
Mundey, Paul: *Unlocking Church Doors.* Abingdon Press, 1997.
Owen, John ac eraill: Cyfres Ffydd a Bywyd. Gwasg Pantycelyn, 1998.
Roberts, E. Ap Nefydd: *Diwinyddiaeth Fugeiliol: Ei seiliau a'i hegwyddorion.* Tŷ John Penri, 1990,
Speck, Peter: *Being There.* SPCK, 1988.
Stuart, Matthew and Lawson, Ken: *Caring for God's People.* St Andrew Press, 1995.
Taylor, H. Michael: *Learning to Care.* SPCK, 1983.
Warren, Robert: *Building Missionary Congregations.* Church House Publishing, 1995.
Worden, J. William: *Grief Counselling and Grief Therapy.* Routledge, 1991.